SDGs バブル崩壊

意識高い系がハマる リベラルビジネスの正体

経済評論家
渡邉哲也
Tetsuya Watanabe

徳間書店

SDGsバブル崩壊

意識高い系がハマるリベラルビジネスの正体

はじめに

2023年5月21日、主要7カ国による首脳会議「G7広島サミット」が閉幕した。特徴的だったのは2021年の国連気候変動枠組条約第26回締約国会議、「COP26」以来、猛威を奮ってきた「気候変動問題」の優先度が極めて低かった点だ。

この気候変動やカーボン・ニュートラル、化石燃料の使用、太陽光や風力などの再生可能エネルギーのベースロード電源化などの「意識高い系」が好むテーマは、「SDGs」と呼ばれる集合理念から出発している。

SDGsとは、2015年に国連で採択された「持続可能な開発のための2030アジェンダ」で掲げられた17の目標と169のターゲットを指す。

SDGsがムーブになった理由は、本気で「理念」を実践したからではない。「S

DGs」に莫大な投資が行われていたからに過ぎなかったのだ。

その投資は「サステナブル投資」と呼ばれる。日本では環境（Environment）、社会（Social）、ガバナンス（Governance）の頭文字を取って「ESG投資」という名称の方が一般的ではないか。あるいは環境を表す「グリーン」を使って「グリーン投資」という呼び方もある。

元々ESG投資は2006年、当時、国連事務総長のコフィー・アナン氏の提唱をきっかけに生まれた。誰も相手にしなかったテーマが一気に注目されるようになった動機は、2020年のアメリカ大統領選をアメリカ民主党候補として出馬したジョー・バイデン大統領が勝利したことによる。

バイデン大統領は選挙期間中から「気候変動問題」への対策を「目玉政策」にすることを公約にした。すなわちバイデン政権は、バラク・オバマ政権時代に掲げられていた「環境対策」を新たな産業に成長させる「グリーン・ニューディール」を行うという姿勢を示したのである。

公約では莫大な「グリーン予算」が提出されることも盛り込まれていた。アメリカが牽引するニュービジネス「グリーン」にマネーが集まった。アメリカのEV大手「テスラ」の株価が急騰したのは、この典型例である。

そこに連動したのがコロナ禍の「異次元の金融緩和」だ。新型コロナウイルス感染拡大防止のための「移動制限」による経済活動は停止を余儀なくされた。その対策としてアメリカの中央銀行制度であるFRSを中心に、世界中の銀行がマネーを刷りまくったのだ。

出血点もわからないのに大量の輸血をするようにマネーが溢れた。余ったマネーがなだれ込んだ一つが、「ESG投資」である。

こうしてSDGsバブルが発生した。

だが2023年5月現在、すでにそのバブルは崩壊した。ESG投資のデータは2022年が最新だ。日本の80年代バブルでも崩壊を信じず投資を続けて破産した人が多くいた。これと同様に、現在でもESGバブルが継続していると盲信していると、相当な痛みを負うことになるだろう。

本書の目的はまさにそこにある。ＳＤＧｓを「理念」からではなく、「経済」や「金融」、「政治」から正しく分析。その上でＳＤＧｓ信仰が、日本にどれほどの悪影響を与えるのかを示した。

バブルの崩壊期には、損失を背負わせる「ババ抜き」が行われるのがパターンだ。ＳＤＧｓバブル崩壊の「ババ」を引かないためにも、現状をきちんと認識する必要がある。

まず冒頭部ではＳＤＧｓバブルの発生を時系列に沿って整理した。そもそもＳＤＧｓなどの用語の解説を行う。さらにＥＳＧバブルが発生するメカニズムを金融面から紐解く。さらにバイデン政権誕生という政治イベントが、経済に与えた影響について詳説した。

元々、国際基準などなく、ただ「理念」だけが先行していた。そこで大量に発生したのが「グリーン・ウォッシュ」である。「環境を使った資金洗浄」と誤訳するメディアも多いが、「ウォッシュ」は「まやかし」の意味だ。

ところが余ったマネーは「まやかし」で作られた「理念」に集まった。脱コロナ禍後、その「まやかし」を暴き始めたのがEUだ。ESGの投資基準を厳格化した結果、それ以前のたった18%しか「ESG投資」でなかったことが明らかになる。

ほぼ同時期に起こったのが起こったのがFRSによる「利上げ」、そして2022年の中間選挙である。市場からはマネーが吸収され、アメリカ議会下院で共和党が多数派となったため「グリーン予算」が通過する可能性が極めて低くなった。

こうしてグリーン・バブルは崩壊したのである。

この動きと酷似しているのが「暗号資産バブル」だ。暗号資産バブル崩壊によってアメリカでは銀行が破綻。その余波でESG投資を積極的に行っていた銀行まで破綻することになった。

2023年3月には大手格付け会社がESGファンドを一斉格下げ。また保険会社や、運用会社は「グリーン」から逃亡を開始している。こうした動きはまったく日本に伝わっていない。

理解すればリーマン・ショックを発生させた悪名高い「サブプライム債」がかわいく見えるだろう。というのはサブプライムには曲がりなりにも「債権」が存在していたが、ＳＤＧｓには「何もなかった」からだ。

ＳＤＧｓが「夢想に過ぎない」ことを気がつかせた最も大きな原因が、「エネルギーの絶対量不足」という厳しい現実だ。「グリーン」に固執し化石燃料を否定し、落日に向かっているのがドイツを盟主とする、ＥＵである。

前述した広島サミットで「気候変動」テーマの優先度が低かったのも「現実」が「空っぽの理念」に勝ったからだ。

実はこのグリーン・バブル崩壊こそが日本経済再生の巨大なチャンスだ。キーになるのがエネルギーの自給である。議長国・日本の強い反対によって石炭火力の全廃時期の明記が見送られた理由もそこにある。

日本はＣＯ２排出量が極めて少ない最先端の高効率石炭火力発電システムを開発し稼働させている石炭火力先進国だ。ヨーロッパや新興国の古い火力発電を、日本製にリプレイスさせるだけで莫大な量のＣＯ２排出削減が期待できる。

また「資源貧国」であるがゆえに日本は「原子力発電」の技術大国で、発電施設も大量に保有している。2023年夏に予定通り原発を再稼働させるかどうかは、日本再生の一つの大きなきっかけになるだろう。

ただし「意識高い系」の崩壊が、しばらく「持続する」ことは確定的だが…。

2023年5月

経済評論家　渡邉哲也

CONTENTS

第1章 持続できなくなった気候変動問題

CONTENTS

第2章 グリーン・ウォッシュと格下げ

第3章 SDGsバブル崩壊

CONTENTS

第4章 明日の日本を今日のドイツにしてはならない

第5章

持続可能社会の実現のための脱・脱化石燃料

第6章

原発再稼働と開発が日本復活のカギ

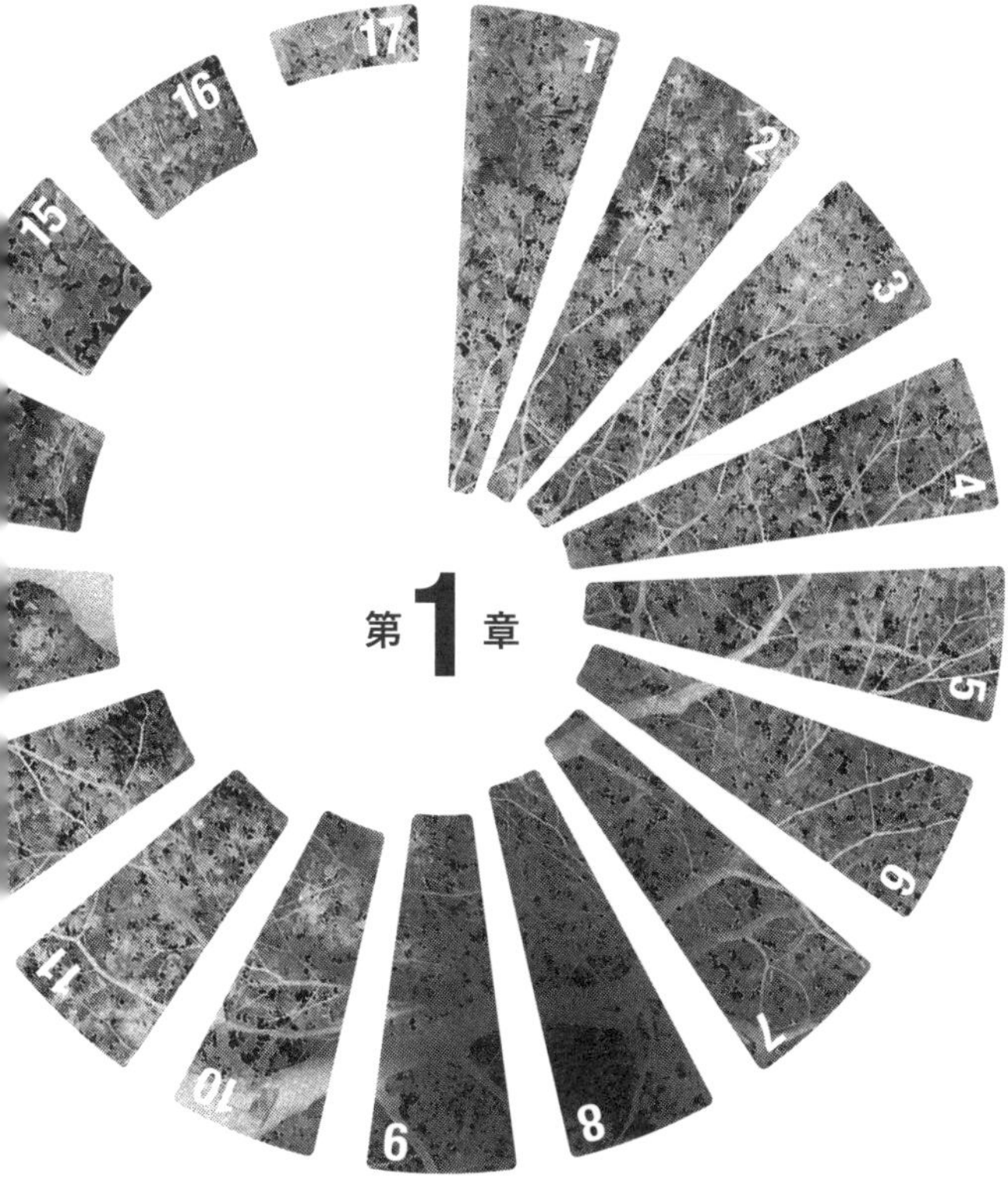

第1章

持続できなくなった気候変動問題

このままではグリーンのババを引かされる

日本では２０２３年5月8日から新型コロナウイルスの感染法上の位置づけが、これまでの「2類」からインフルエンザと同様の「5類」へと移行した。本格的な脱コロナ禍への突入ということで、２０２３年の日本経済は回復基調にあるという見方が強い。

多くの著書を通じて伝えてきたように米中対立、そしてロシアのウクライナ侵攻によって新冷戦が起こっているのが現在の世界だ。かつて中国は「世界の工場」と呼ばれていた。しかし半導体に対する輸出規制の強化などを通じて、アメリカは中国に「モノを作らせないこと」を決断した。

このようなサプライチェーンの東西デカップリングは日本にとっての追い風だ。

ところが日本が経済回復にとって巨大な負の要素を抱えていることはまったく議論されていない。それこそがＳＤＧｓに対する投資――すなわちＥＳＧ投資である。

え？　と思う人の方が多いだろう。日本では環境に向けた対策を「新たな産業革命」と位置づけたり、ＥＶシフトへの立ち遅れを「自動車産業衰退の危機」などと評価する論調が支配的だからだ。

ところが国際社会では、すでにＳＤＧｓバブルは崩壊している。ＥＳＧ投資からはマネーが引き上げられ、金融機関が破綻する事態が頻発しているのだ。

例えばアメリカのシリコンバレー銀行（Silicon Valley Bank＝ＳＶＢ）の破綻はその典型である。日本でほとんど話題にならないのは、ＳＤＧｓの神話がいまだに生きているからである。

ある金融商品から急速にマネーが引き上げられる時、巨大損失を引き受ける市場を探すのが金融の定石だ。いわゆる「ババ抜き」だが、ＥＳＧ投資への疑いさえ持っていない日本が、「グリーンのババ」を引かされようとしているのが２０２３年現在の現実だ。

まずは用語の整理から始めていこう。

ＳＤＧｓとは、「Sustainable Development Goals」の略で、日本語では、持続可能な開発目標と訳される。２０１５年に国連で採択された「持続可能な開発のための２０３０アジェンダ」で掲げられた17の目標と１６９のターゲットを指す。

次ページ表「ＳＤＧｓの17の目標」にあるように貧困や飢餓、気候変動などの世界的な課題に取り組むための共通の目標で、すべての国や地域、すべての人や組織が参加できるとされた。

このようにＳＤＧｓは理念だが、理念を実現するためにはマネーがなければならない。そのマネーの流入元の一つがＥＳＧ投資である。

ＥＳＧ投資の「ＥＳＧ」とは、環境（Environment）、社会（Social）、ガバナンス（Governance）の３つの要素を合成した用語だ。ＥＳＧ投資は環境、社会、ガバナンスを考慮して、投資先の企業やプロジェクトを選択することである。ＥＳＧ投資は、持続可能な価値創造や社会的なインパクトを目指す。

ＥＳＧ投資は、２００６年、当時、国連事務総長のコフィー・アナン氏が、国連責

SDGsの17の目標

1	貧困をなくそう
2	飢餓をゼロに
3	すべての人に健康と福祉を
4	質の高い教育をみんなに
5	ジェンダー平等を実現しよう
6	安全な水とトイレを世界中に
7	エネルギーをみんなに そしてクリーンに
8	働きがいも経済成長も
9	産業と技術革新の基盤をつくろう
10	人や国の不平等をなくそう
11	住み続けられるまちづくりを
12	つくる責任 つかう責任
13	気候変動に具体的な対策を
14	海の豊かさを守ろう
15	陸の豊かさも守ろう
16	平和と公正をすべての人に
17	パートナーシップで目標を達成しよう

任投資原則（Principles for Responsible Investment を略して「ＰＲＩ」）を提唱したことがきっかけで生まれた。

ＰＲＩは機関投資家が投資判断にＥＳＧの要素を組み込むことを促すガイドライン的なイニシアチブで、以下の6つの原則からなる。

1．ＥＳＧ課題は投資分析や意思決定プロセスに組み込む
2．ＥＳＧ課題に関する企業との活発な対話を行う
3．ＥＳＧ課題に関する情報開示を求める
4．ＰＲＩの実施状況を報告する
5．ＰＲＩの実施を支援するために協力する
6．ＰＲＩの実施に関する知識や効果を広める

17の目標と169のターゲットという広大な範囲を内包するＳＤＧｓに対して行われる投資は「サステナブル投資」と呼ばれる。ＥＳＧ投資は「サステナブル投資」の

運用資産総額に占めるサステナブル投資資産の割合2014-2020

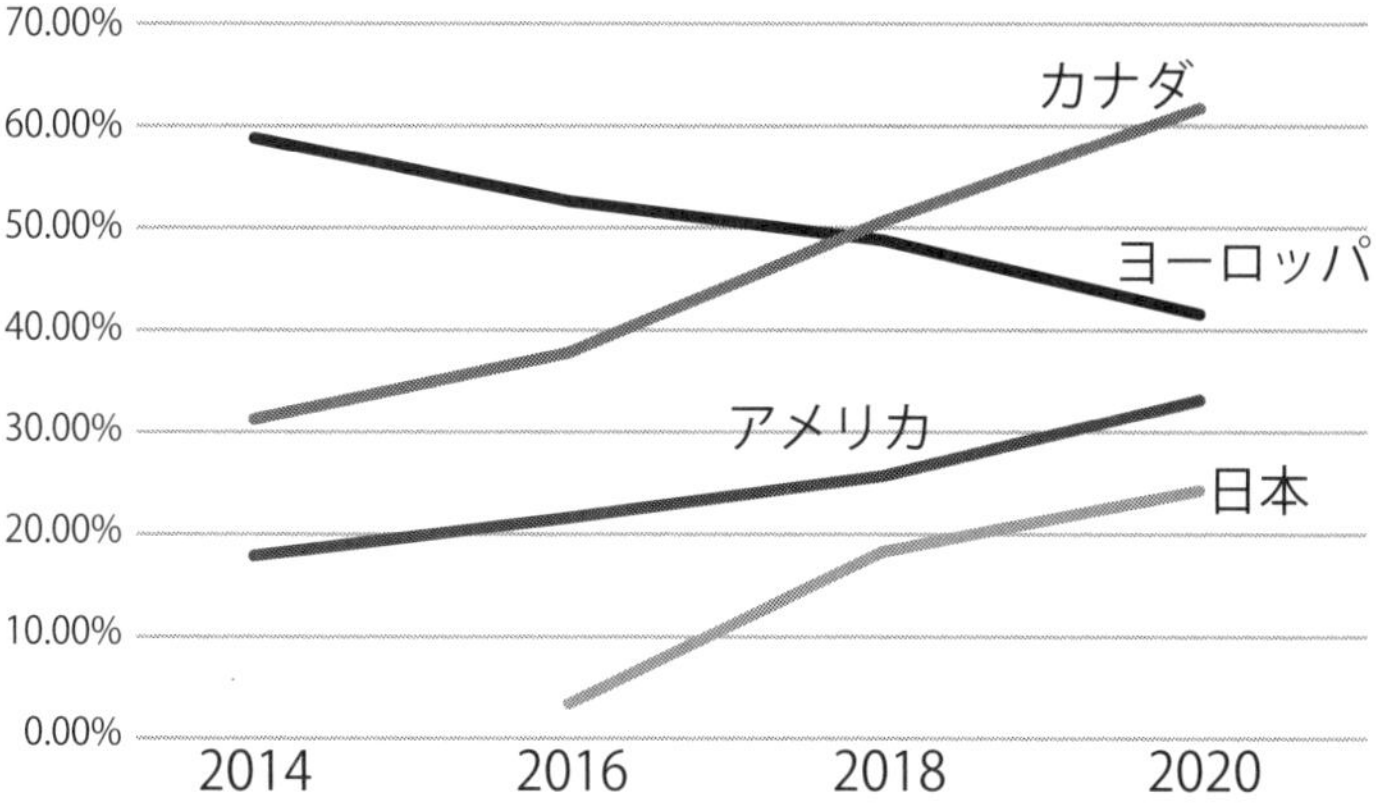

地域	2014	2016	2018	2020
ヨーロッパ	58.8%	52.6%	48.8%	41.6%
アメリカ	17.9%	21.6%	25.7%	33.2%
カナダ	31.3%	37.8%	50.6%	61.8%
日本		3.4%	18.3%	24.3%

（「GLOBAL SUSTAINABLE INVESTMENT REVIEW 2020」を元に作成）

一部であるという位置づけで、ESG投資とSDGsは、相互に影響し合う関係だ。ESG投資額の推移を見る場合、サステナルブル投資から見る他ない。

日本では、長い間、ESG投資に消極的な機関投資家が多かったが2016年を前に欧米からのムーブが輸入される形で火がついていった（前ページ図「運用資産総額に占めるサステナブル投資資産の割合2014－2020」参照）。

もっとも「ESG投資」あるいは「グリーン投資」という言葉が普及していったのは、2020年頃からである。その理由はバイデン政権が誕生したからだ。

こうしてSDGsバブルは発生した

2020年大統領選を境にしたESG投資の盛り上がりを説明する典型例が「パリ協定」である。

パリ協定とは、2020年以降の気候変動問題に関する、国際的な枠組みだ。1997年に定められた「京都議定書」の後継となる枠組みで、2015年にパリで開かれた「国連気候変動枠組条約第21回締約国会議（The 21st Session of the Conference of the Parties＝COP21）」で採択された。

パリ協定は地球温暖化を産業革命前と比べ2℃未満を目標とし、1・5℃未満の達成を掲げた。この実現のために、各国は自主的に温室効果ガスの削減目標を設定。5年ごとに見直すことになった。

2017年6月1日、当時、アメリカ大統領だったドナルド・トランプ氏が、アメリカのパリ協定からの脱退を表明。規定に従って2019年11月4日、トランプ政権はパリ協定からの脱退を正式に通告。その結果、アメリカは2020年11月4日にパリ協定から正式に離脱することになった。

その2020年にアメリカでは大統領選挙が行われ民主党の候補者、ジョー・バイデン氏は選挙中からパリ協定復帰を公約にする。米国の気候変動への取り組みを強化し、世界のリーダーシップを回復すると主張し気候変動を目玉政策とした。

大統領選挙を勝利したバイデン氏は、大統領に就任した直後の2021年1月20日にパリ協定への復帰を決定し、国連に通知。同年2月19日にアメリカの正式復帰が認められることになったのである。

ここで押さえたいのが２０２０年からの国際金融の状況だ。

新型コロナウイルス感染拡大の中で、人の移動が制限された。各国のＧＤＰの中で大きなウエイトを占める「消費」が激減するのは明らかだということで、２０２０年1月下旬から世界各国の株価は大きく暴落することになる。

この時生かされたのが、２００８年9月にリーマンブラザーズが破綻したことによるリーマン・ショックへの対応だ。リーマン・ショックは世界中の社会に巨大な経済的ダメージを与えた。この未曽有の厄災で得た教訓が、現在の金融システムは巨大なショックが起こるとドル不足が起こり硬直するということだったのである。

コロナ禍の株価暴落では、まさにリーマンと同様の「硬直」が起こるリスクが極めて高くなった。そこで２０２０年3月19日、アメリカの中央銀行ＦＲＳの意思決定機関ＦＲＢが従来のドル供給構造に加えてオーストラリア、ブラジル、韓国、メキシコ、シンガポール、スウェーデンの中央銀行と各６００億ドル、デンマーク、ノルウェー、ニュージーランドの中央銀行と各３００億ドルのスワップ協定を緊急に締結する。

このFRBの動きにアメリカ、イギリス、ドイツ、フランス、日本、イタリア、カナダの主要先進国「G7」も連動。20年3月24日、G7の財務大臣・中央銀行総裁が、

「G7各国の中央銀行は、それぞれのマンデートと整合的に、経済及び金融の安定性を支えるための金融政策上の措置の包括的パッケージを導入するため、異例の行動をとっている。我々は、G7及び他国の中央銀行の間のスワップ・ラインを含め、流動性及び金融システムの全般的な市場機能を向上させるための行動をとっている」

という声明を出して、ドル供給の連動をアナウンスした。

大量出血によってDOA（Dead Or Alive　死ぬか生きるか）に陥った患者に、大量輸血をするようなものだ。リーマンの時には処置が遅れたが、今回は出血点がわからなくても、まずは大量輸血による救命を選択したのである。

世界中の中央銀行が通貨を刷ったものの余ったマネーの流入先は不在という歪な状況が生まれる。その巨大流入先の一つが金融市場だ。

もちろんESG投資、すなわちサステナブル投資も流入先の一つとして世界中が注

目。気候変動対策を「目玉政策」に掲げ、パリ協定にアメリカを復帰させたバイデン政権が誕生したことでSDGsバブルが発生した。

SDGsなる理念があって、理念で儲かると思った投資家グループがそれに乗っかった構図だ。だが投資家たちの動機は「地球環境の改善」などではない。「グリーン」が民主党政権の巨大利権で、確実に儲かる投資先だったからに過ぎない。

SDGsバブル崩壊と密接な関連性があるということで、アメリカ民主党利権とグリーン利権についてさらに解説を続ける。

気候変動政策は持続できない

前述したように、環境問題を公約にしたバイデン氏は大統領就任直後に「パリ協定」復帰の大統領令にサインをした。オバマ政権では、再生可能エネルギーを国家規模の経済政策にする「グリーン・ニューディール政策」が行われたが、それが復活するということだ。

SDGsバブルを象徴したテーマ株の一つがEV（電気自動車）で、バイデン氏の勝利からEV関連株は上昇を続けた（次ページ図「大統領選とテスラ株」参照）。「環境」という聞こえのよい言葉と株価上昇の材料を提供したことで、新グリーン・ニューディール政策はよい方向に受け入れられている雰囲気だが、そもそも持続可能な政策になるかどうかは、この時点で疑問だった。

第一の理由は新グリーン・ニューディール政策がアメリカの国力にとってマイナスである点だ。

2010年以降にアメリカが手に入れた最も強力な武器こそ、それまで採掘不可能だったシェール層からガスと石油を取り出す「シェールガス」である。シェールガスは1990年代から研究が進み、オバマ政権第一期で量産化を実現。アメリカは世界最大の産油国となる。シェール以前のアメリカは石油を中東に依存するしかなく、それゆえ米軍はシーレーンを維持してきた。

2015年には当時、大統領だったオバマ氏が原油輸出を解禁する法案に署名。アメリカは40年ぶりに石油輸出国となったのだ。

大統領選とテスラ株

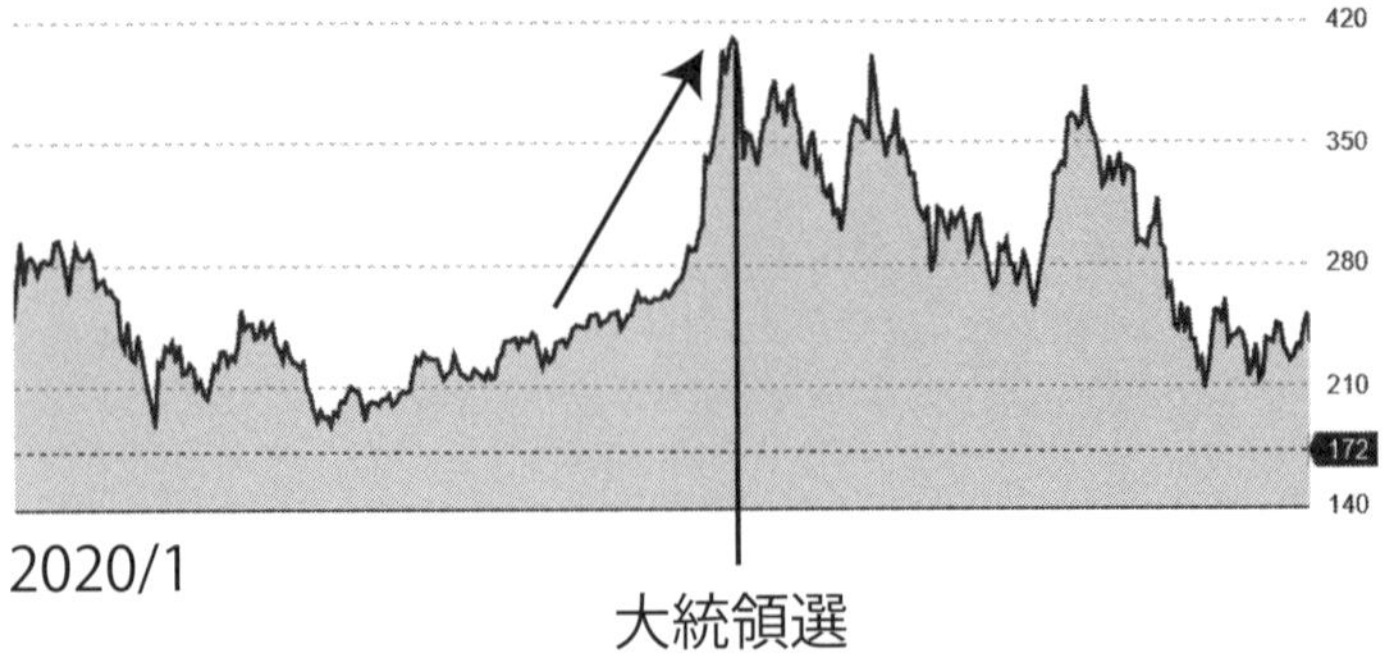

このことはドルに影響を与えた。

1944年7月に締結されたブレトン・ウッズ協定によってアメリカのドルは基軸通貨となった。当時は通貨の価値を保有する金によって担保する金本位制だった。第二次世界大戦の混乱の中で世界の多くの金がアメリカに移動してしまったからだ。結果、石油や穀物をはじめとする戦略物資の決済をドルが支配し、今日まで続いている。

石油決済を支配することがドルの価値であり、その価値が脅かされるたび、アメリカは軍を中東に派遣して積極的に介入してきた。シェールガスによって自前で産油できるようになったことで、アメリカの中東に介入する必要性は低下した。

2011年にはシリアで内戦が勃発するが、アメリカは積極的に関与をしなかった。シェール以前のアメリカなら積極的に介入したはずだ。

石油はいわばドルにとって「利権」である。対して新グリーン・ニューディールは化石燃料を否定する政策だ。石油を自国生産することでドルは一段と強い通貨となったが、その強力なストロングポイントをアメリカが自ら放棄することは考えにくい。

元祖グリーン・ニューディール政策は、2008年大統領選の時、リーマン・ショックへの対策としてオバマ氏が目玉政策として公約にした。しかしシェールの開発が進むと共にグリーン・ニューディールはなかったことになった。

オバマ政権でさえ、「石油」というドルの利権を捨てることはできなかったのだから、バイデン政権がそれを実現できるのかは不透明である。

第二に石油の代わりとなるエネルギー、「電力」の問題だ。

カリフォルニア州は1992年に電力を自由化したが、2000年から電力の供給が不安定になり、停電が頻発するようになった。現在でも自由化と非自由化の州が混在しており、カリフォルニア州で2020年にも大停電が起こったように電力供給が不安定な州もある。

太陽や風など人間では制御できないエネルギーから電力を生むことが、さらなる不安定化の要因になるのは当然だ。

第三が雇用の問題で、アメリカの石油産業はGDP（国内総生産）の5・6%、1000万人以上の雇用を支える巨大産業だ。この規模の雇用を他の産業で吸収するのは難しい。

発売される気配さえない売れ筋EV

また、EVがアメリカの自動車業界にとって利益になるのかは疑問だ。

アメリカの自動車市場は、日本の市場とまったく違う。

日本の2021年の登録車新車販売台数は約213万5000台で、そのうちSUVは65万1093台。商用車を除く登録乗用車に占めるSUVの割合は30・4%で、初めて30%を超えた。

一方、アメリカの2021年の新車販売は約1508万台で、そのうちSUVは約813万台だった。商用車を除いた新車販売に占めるSUVの割合は約54%である。アメリカでは新車販売の2台に1台がSUVということだ。

ところがアメリカでは、そのSUVの人気車種を超えて売れているのがフォードの「Fシリーズ」、ラム「ピックアップ」、シボレー「シルバラード」といった大型のピックアップトラックだ。

GMが2016年に開発した大型軍用車「シボレー・コロラドZH2」は水素を利用する燃料電池車だ。大型の車のEV化はしばらく不可能で、できてもせいぜいHV（ハイブリッド）か、FCV（水素燃料車）までだ。

こう書くとEV派はあれも出ている、これも出ていると顔を真っ赤にして反論する。確かに大型SUVのEVでは日産のアリア、テスラのモデルXが有名だ。

しかしアリアは特別仕様車のリミテッドグレードが2022年1月に発売。バッテリー容量が少ないB6グレードは同年3月発売予定だったが受注が停止し、予約限定車のみが発売された「形だけ発売」である。モデルXも納車未定という状況だ。

アリアは日本限定仕様の価格が660から790万円。モデルXは1300〜1500万円である。一般に流通しているとはいい難い状況だ。

アメリカ市場で重要な、EVピックアップトラックの発売時期と価格は以下の通りだ。

・フォード「F－150ライトニング」：2022年春に米国市場で発売予定。価格は3万9995ドル（約460万円）から。

・トヨタ「Tundra EV」：2022年に米国市場で発売予定。価格は未発表。
・ステランティス「Ram 1500 REV」：2024年に北米市場で発売予定。価格は未発表。
・GM「シボレー シルバラード EV」：2023年に米国市場で発売予定。価格は3万9900ドル（約460万円）から。

ちなみに2022年に発売予定だったフォード、トヨタ共に2023年5月現在、発売されていない。

それでもアメリカの自動車メーカーがEV開発を謳うのは、株価上昇の材料にしているとしか思えない。その株価上昇を支えた背景は、前述したコロナ禍の金融緩和で余ったカネが株式市場に流れていることだ。

そもそもEVはモーターとシャシー（車体）という単純な構造で「大きなリモコンカー」に過ぎない。中国で生産できるのも、その単純な構造が理由だ。すなわち雇用を支えることはできない。

ところが2021年8月5日、バイデン大統領は、2030年までに新車の半数以上をＥＶやＦＣＶとする目標を掲げた大統領令に署名。また、２０２１年12月8日には、連邦政府車両の購入について２０３５年までにすべて排ガスゼロ車（ＺＥＶ）とすることなどを定めた大統領令に署名した。

「全新車はＥＶのみ」というＥＶシフトを義務化すれば、自動車産業が衰退するのは明らかだ。民主党の強力な支持母体であり、約40万人もの組合員を持つ全米自動車労働組合が、いずれ政権に圧力をかけることになる。

それでもバイデン政権が環境を目玉政策にするのは…

これだけアメリカの国益に対して多くの問題がありながら、なぜバイデン政権は「環境」を政策とするのか——夢の政策を推進する動機の深層には「巨大利権」という生々しい現実がある。

民主党で本格的に地球温暖化を政策に取り入れたのはビル・クリントン政権で、中心人物となったのが副大統領を務めたアル・ゴア氏である。例えばクリントン政権では、温暖化防止効果があるとしてトウモロコシなどを原料としたバイオエタノールの導入推進を国家戦略として位置づけた大統領令を発令。バイオ燃料を使ったクリーンディーゼルの開発などによって、バイオ燃料バブルが起こった。

2000年大統領選に民主党代表として立候補し敗れたゴア氏は、政界から距離を置き、環境活動家として環境ビジネスに進出する。

2006年には自らが脚本、主演を務め気候変動の現状と危機を伝える『不都合な真実』というドキュメンタリー映画を制作。第79回アカデミー賞長編ドキュメンタリー映画賞・アカデミー歌曲賞を受賞。このことで2007年には環境活動についてノーベル平和賞を授与されたのである。

一方でゴア氏は炭素取引市場、太陽光発電、バイオ燃料、電気自動車、持続可能な養殖、水なしトイレなどに投資をするファンドを立ち上げる。築いた富は巨万で2009年11月にはイギリスの「デイリーテレグラフ」が、「アル・ゴアは世界で最初の炭素長者になった」(Al Gore could become world's first carbonbillionaire)と題した記事を発表。2000年の選挙敗北後に120万ポンド(約1億8000万円)だったゴア氏の資産は、「環境」によって、推定6000万ポンド（約90億円）にまでなったことが明らかになった。

またゴア氏は2005年にケーブルテレビチャンネル「カレントTV」を創設したが、2013年にはカタールのアルジャジーラTVに「カレントTV」を売却。化石燃料を批判しながら、産油国から利益を得た行為に批判が集まった。

ゴア氏は「環境政策」が莫大なカネを生み出すことを体現したのだ。以降、「環境政策」は民主党の一部の巨大な利権となった。

環境政策がきれいごとに過ぎないことは、2019年にはリベラル派の代表格の映画監督、マイケル・ムーア氏が「Planet of the Humans」で示した。同作品では風力、太陽光などの発電が気候変動に寄与しないどころか、地球環境を汚染していることが映像化されている。

炭素協定から共和党が離脱する理由

前述したようにトランプ政権は「パリ協定」を離脱したが、共和党は民主党のグリーン政策とはまったく違う立場をとっている。

2001年3月28日、ジョージ・W・ブッシュ政権はパリ協定の一つ前の京都議定書からの離脱を表明した。現在の地球温暖化問題はIPCCの報告書を論拠にしている。

IPCCとは「気候変動に関する政府間パネル」(Intergovernmental Panel on Climate Change)の略称で、地球温暖化についての科学的な研究の収集、整理のための政府間機構だ。1988年に世界気象機関(WMO)と国連環境計画(UNEP)によって設立され、2023年現在、195の国と地域が参加している。

ブッシュ政権は、

・地球温暖化の実質的な論証を行ったＩＰＣＣの報告に対する疑問
・中・印などが削減義務を負っていないこと
・技術開発を重視して温室効果ガス排出総量キャップに反対する独自の路線
・米国経済への悪影響やエネルギー安全保障への懸念

などを理由に京都議定書を離脱した。京都議定書はアメリカ産業の国際競争力弱体化を目的としたＥＵが仕組んだ罠で、中国、ロシアに利益を与えるという不信感が根底にあったのである。

トランプ政権が「パリ協定」を離脱した理由も、

・パリ協定がアメリカに「不公平な経済的負担」を強いていると考えたこと
・化石燃料重視の政策を追求したこと
・米政府の気候変動報告に対する信頼性の低さや疑問を抱いたこと

とブッシュ政権を踏襲した理由になっている。実際に、「パリ協定」は非協力国に対する制裁が定められていない。CO2の大規模排出国の中国はパリ協定に参加していて2030年にカーボンピークアウト、2060年にカーボンニュートラルを目指すと約束はした。しかし、具体的な計画や進捗状況は不透明なままだった。

重要なのは、ブッシュ政権、トランプ政権共に地球温暖化＝炭素排出の科学的論拠を疑問視し、独自の対策をとることを否定していない点だ。

にもかかわらずリベラルメディアの意図的な変更によってブッシュ氏、トランプ氏共に「地球温暖化を進める悪党」という印象操作がされたのである。

この決定の背後には環境問題がアメリカの「国益」を損ない、民主党の巨大な「利権」になっているという問題がある。その審判が下されたのが2022年中間選挙だった。

天文学的な「SDGs予算」

2021年に成立したバイデン政権だが、経済対策は、以下の3つが基本としていた。

①米国救済計画（コロナ対策）→1・9兆ドル（約206兆円）規模

②米国雇用計画（インフラ、研究開発、製造業支援など）→1・2兆ドル（約140兆円）のインフラ法案

③米国家族計画（教育、育児など）→3・5兆ドル（約385兆円）の投資計画

いずれの計画にも前述したグリーン予算などのSDGs関連予算が盛り込まれた。合計6・6兆ドル、約731兆円の天文学的な金額である。このSDGs予算の中核ともいえる目玉が③の「米国家族計画」だ。

このSDGs予算を巡る動きについて解説する前に、アメリカ民主党内の党勢を整理しなければならない。

アメリカ民主党は保守派、中道左派（穏健派）、左派の3派に分かれている。

2020年大統領選は投開票前から接戦が予想されていた。民主党が勝利するため

には、民主党内の3派が結束しなければならなかった。

だからこそ右と左を取り込める中道のバイデン氏が候補になったというのが経緯だ。

2020年大統領選に向けた候補者選びの際、民主党2位になったのがバーニー・サンダース氏、3位にはエリザベス・ウォーレン氏が続いた。サンダース氏は北欧的な社会主義政策を前面に掲げる左派。ウォーレン氏はGAFA（Google、Apple、元Facebookで現Meta、Amazon）の解体を提案し、公約に盛り込んだことで知られる左派だ。

すなわち2位と3位が左派という状況で、「打倒トランプ」を旗印に3派が結束した結果、勝利したのである。

アメリカ民主党内で、造反などを起こす問題児が極左グループだ。バイデン政権が極左派造反の抑止力として副大統領に登用したのがカマラ・ハリス氏である。

ハリス氏は初の黒人サンフランシスコ市長となったウィリー・ブラウンの愛人になるほどの美貌だ。ジャマイカ系の父とインド系の母を持つが、大統領選においては有色人種票を期待されていた。

バラク・オバマ政権時代に副大統領だったバイデン氏が共和党と議会調整を行った。メディアで話題になる一方で政治家としてのハリス氏の実績は乏しかった。日本で例えると参議院議員の蓮舫氏や都知事の小池百合子氏といったレベルの人物を野党との調整役に据えたに等しい。

バイデン政権は内部・外部に「紛糾」の爆弾を抱えながらスタートしたということだ。実際、予算を巡って民主党・共和党は紛糾するどころか民主党内部でも対立が勃発する。

①はバイデン大統領就任直前の2021年1月14日に概要が発表された。法案に対して共和党の反対があったものの最終的には上院での賛成・反対が50対49、下院で220対211となり賛成多数で可決。同年3月11日に、バイデン大統領が署名し「2021年米国救済計画法」が成立した。議会での票数はほぼ議会内の民主党・共和党の構成で、両党の距離が埋まっていないことが改めて浮き彫りになった形だ。

最大の問題となったのは②と③だ。

②の米国雇用計画は、2021年3月31日にバイデン大統領が公表した、総額2兆

ドル超を8年間にわたって支出する成長戦略だ。インフラ整備、研究開発、製造業支援など広い範囲をカバーする（次ページ表「米国雇用計画の概要（ジェトロ作成）」を参照）。雇用計画は「インフラ投資計画法案」として21年7月に上院に提出されたが、財源である法人税増税に一部共和党議員が反対。同年8月10日に、超党派の賛成多数で上院で可決した。

③米国家族計画は2021年4月28日にバイデン大統領が就任後初となる施政方針演説で発表した、子育てや教育支援を柱とする約1・8兆ドル規模の成長戦略だ。その後②米国雇用計画から除外されたものを盛り込み、計画は3・5兆ドル規模にまで膨らんだ。

ここで起こったのが民主党内の中道と左派の対立である。③の米国家族計画を重要視する民主党左派は「③を通さなければ②を通さない」と主張した。対して、民主党中道派は債務残高を懸念。教育、育児に対して3・5兆ドルは巨額すぎるので、1・5兆ドル～2兆ドル規模にするべきだと主張した。

こうした対立が行き詰まった結果、21年10月28日に、米国家族計画は予算規模を

米国雇用計画の概要（単位：億ドル）

交通インフラ整備	6,210
老朽化した橋、道路の整備	1,150
補助金や税制優遇など電気自動車普及支援	1,740
交通設備の現代化、トラック整備	1,650
空港・港湾整備	420
生活インフラ整備	6,500
クリーンエネルギー推進の電力網整備	1,000
水道システム整備	1,110
高速通信網整備	1,000
低価格住宅整備	2,130
公立学校整備	1,000
製造業の競争力強化	5,800
サプライチェーン強化	3,000
人工知能（AI）など研究開発支援	1,800
労働者の能力開発プログラム支援	1,000
高齢者・障害者施設、退役軍人病院等整備	4,000
合計	2兆2,510億ドル

（注）内訳は主な項目のみ記載。金額は概算。
（出所）米ホワイトハウス、各種報道資料を元にジェトロ作成

1・75兆ドルに半減させた「ビルド・バック・ベター」計画として発表された。

2021年11月5日、下院は「インフラ投資計画法案」を賛成多数で可決。同日にバイデン大統領が署名して成立した。

バイデン大統領が、

「21世紀の経済競争に勝つための一世一代のインフラ投資計画が可決された」

と自画自賛する一方で同日の下院通過を狙った「ビルド・バック・ベター」計画は採択を見送られた。同年11月19日に賛成220、反対213で下院のみ可決したが、上院での可決は困難で21年内では不成立、2023年5月現在では通過する可能性がなくなったというべき状況だ。

2022年に行われた中間選挙で共和党が下院で多数派となったからである。

アメリカの政治・中央銀行制度

予算を通すためには、先に議会を通過させなければならない。そこで重要になるの

が、2022年11月8日に行われた中間選挙だ。アメリカの選挙制度は、
・大統領選の任期は4年で、3選禁止
・上院の任期は6年で、2年ごとに1／3改選
・下院の任期は2年で、2年ごとに全議席改選
となっている（次ページ図「アメリカの政治制度」参照）。中間選挙は4年ごとの大統領選の間で行われ、上院1／3、下院全議席の選挙が行われる仕組みだ。

民主党のカラーは青、共和党のカラーは赤となっていて、2022年中間選挙の事前予想は共和党が圧倒的有利とされた。だが、共和党が圧勝する「レッドウェーブ（赤い波）」は起こらず結果は、
・上院（過半数50）　民主党51　共和党　49
・下院（過半数218）　民主党213　共和党222
となった。上院を民主党が、下院を共和党がとったねじれの構造だ。

与党・民主党が上院をとったことで人事は変わらず、共和党が下院をとったことで予算権限を握ることになった。

アメリカの政治制度

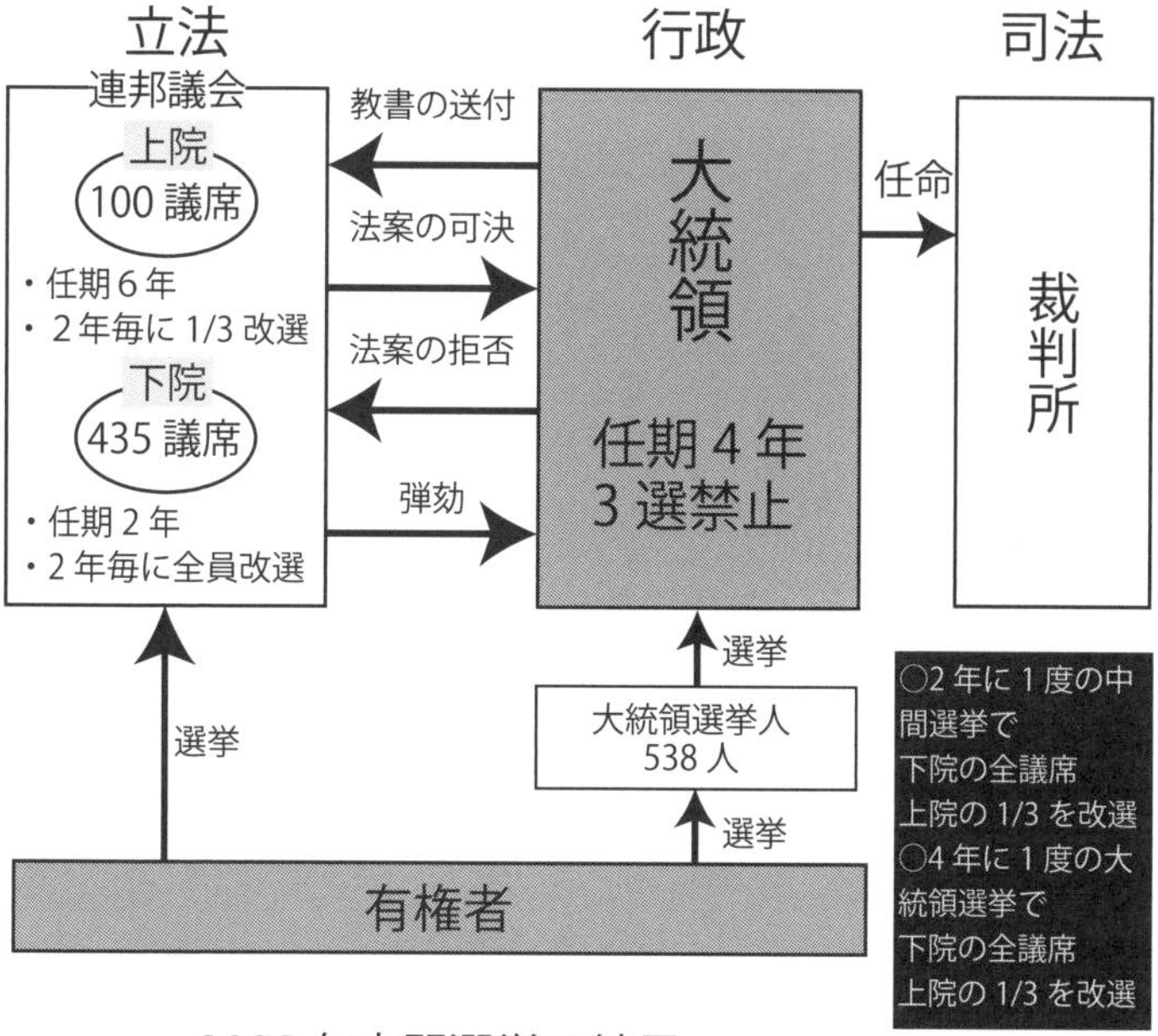

2022 年中間選挙の結果

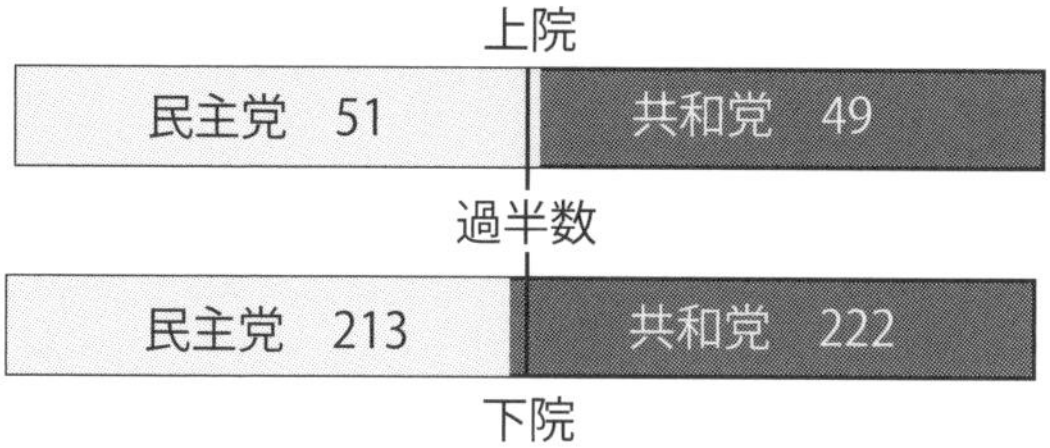

バイデン政権は「グリーン政策」を党一丸となって進めていたが、この「目玉政策」が否定されたということだ。

どの国でも同じだが、国家戦略と有権者の求める政策との間には乖離がある。アメリカの有権者の望む政策は1にも2にも「インフレ対策」だ。

このことが民主党のグリーン政策に「ノー」を突きつけ、結果的に下院で民主党が敗北した大きな要因である。次ページの図「アメリカの中央銀行制度」を踏まえた上で、数字をご覧いただきたい。

2022年12月13～14日に行われたFOMC（連邦公開市場委員会）によって、アメリカの中央銀行にあたるFRSの最高意思決定機関FRBは0・5％の利上げを決定。金利の誘導目標を4・25～4・5％とした。

アメリカのCPI（消費者物価指数）がピークアウトして、さらに下落する可能性が高いため、利上げを減速させる方向だった（次々ページ図「アメリカのCPI（消費者物価指数）推移」）。

実際に2023年5月3日にFOMCが決定した利上げは0・25％だ。FOMC

アメリカの中央銀行制度

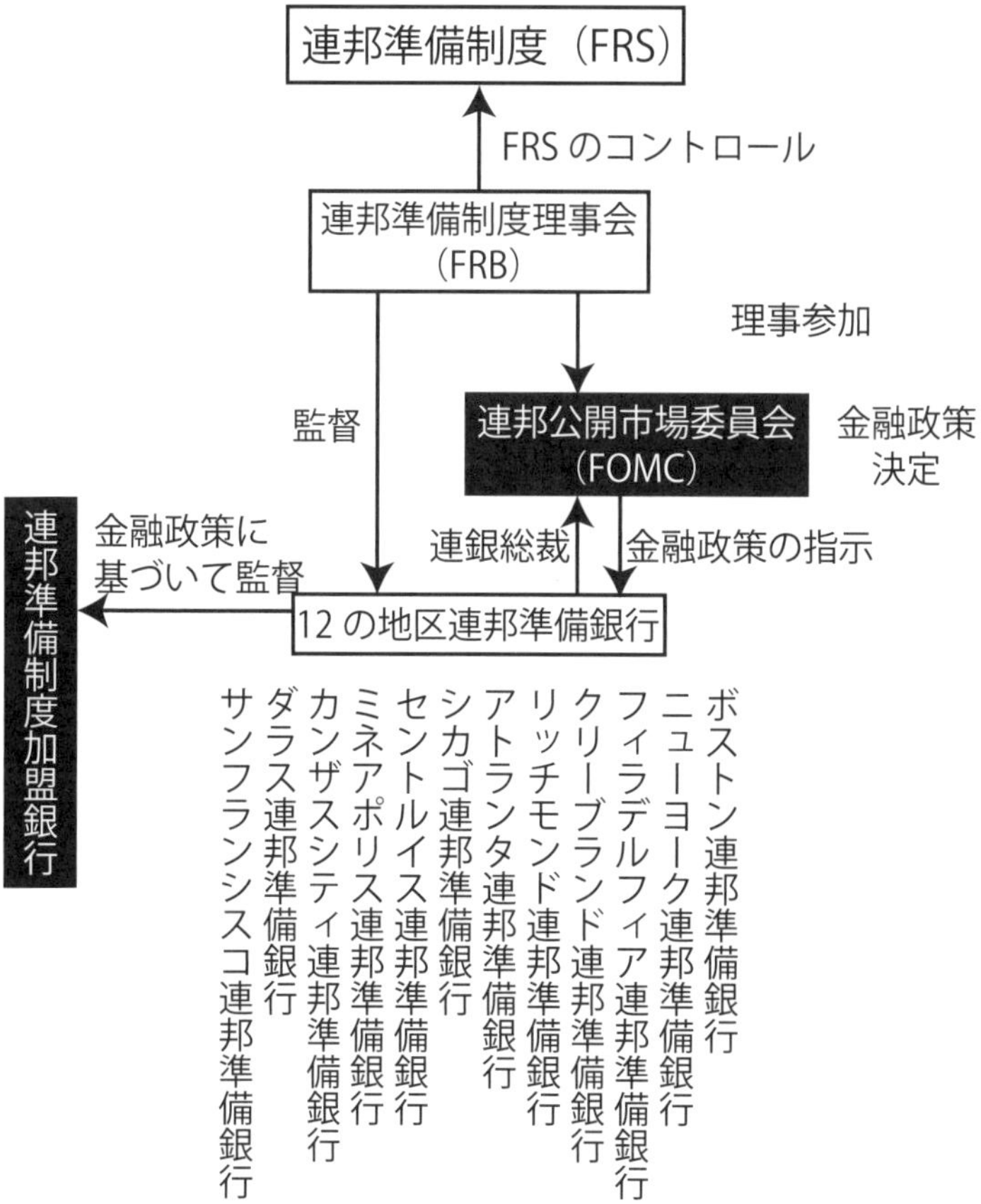
連邦準備制度（FRS）
FRSのコントロール
連邦準備制度理事会
（FRB）
理事参加
監督
連邦公開市場委員会
（FOMC）
金融政策
決定
連銀総裁
金融政策の指示
連邦準備制度加盟銀行
金融政策に
基づいて監督
12の地区連邦準備銀行
ボストン連邦準備銀行
ニューヨーク連邦準備銀行
フィラデルフィア連邦準備銀行
クリーブランド連邦準備銀行
リッチモンド連邦準備銀行
アトランタ連邦準備銀行
シカゴ連邦準備銀行
セントルイス連邦準備銀行
ミネアポリス連邦準備銀行
カンザスシティ連邦準備銀行
ダラス連邦準備銀行
サンフランシスコ連邦準備銀行

アメリカのCPI（消費者物価指数）推移

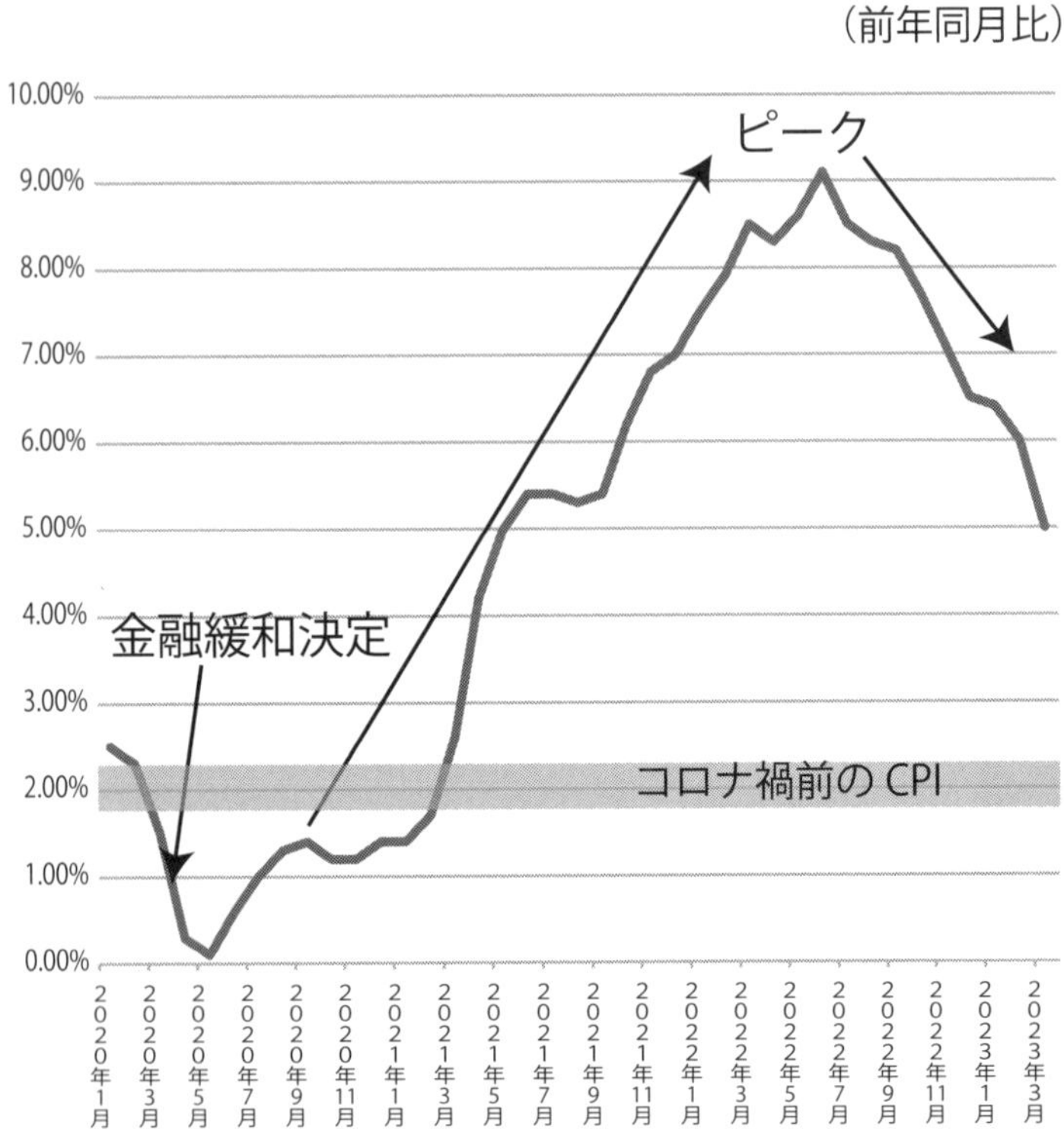

は、インフレ率が目標の2%に近づいていることや、経済成長が堅調であることを理由に利上げを行ったものの、今後の利上げペースを緩やかにする可能性も示唆した。

住宅ローン金利なども緩やかに落ち着く流れであることが予測され、ソフトランディングの可能性が高い。問題は資源・エネルギー価格で、原油価格の動静次第では、CPIも上昇に転じる可能性が残っていることだ。

この未曽有のインフレは、コロナ禍を通じた複合的な要因が関係して起こっている。大きくいえば、

・2020年3月にG7中央銀行・財相が決定した、コロナ禍による経済への影響を食い止めるための大規模な金融緩和

・コロナ禍によるサプライチェーンの停止と、先進国が脱コロナに転換したことによって起こった供給不足

・脱化石燃料への過度な移行による化石燃料の急騰

である。順を追って整理していこう。

2020年3月、コロナ禍による金融の流動性停止を防ぐため、G7は未曽有の金

融緩和を行った。これによってドルは飽和状態になる。感染拡大防止のために移動制限が行われ、そのことで経済は停滞した。

行き場を失ったマネーは金融市場になだれ込み、バブルが起こったのである。

そのことで発生したのがインフレだ。

例えば100個の製品に対して100枚の引換券があるとする。この状況で一人に1枚の引換券を渡せば、100人が1つの製品を手に入れることができる。ところが引換券を刷って1000枚にして1000人に配ると、1000人の人たちが100個の製品を奪い合うことになる。

引換券を1000枚刷ったことで、1個の製品のために1枚で済んでいた引換券が、10枚必要になったということだ（次ページ図「インフレの簡易モデル――その1」参照）。

これがインフレである。

インフレの簡易モデル——その1

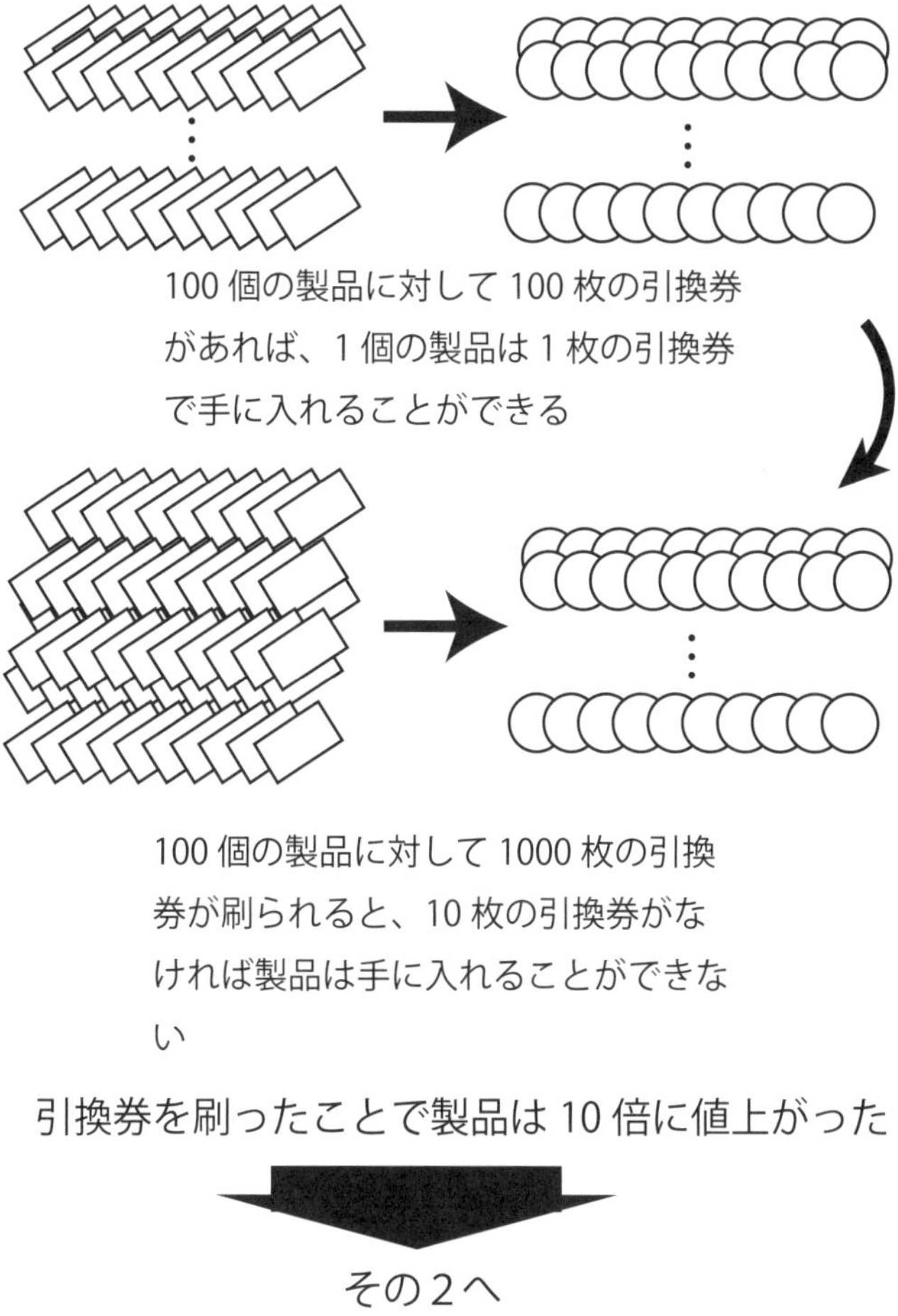
100個の製品に対して100枚の引換券があれば、1個の製品は1枚の引換券で手に入れることができる
100個の製品に対して1000枚の引換券が刷られると、10枚の引換券がなければ製品は手に入れることができない
引換券を刷ったことで製品は10倍に値上がった
その2へ

グリーン政策推進でインフレが加速

このインフレを収束するためには、刷りすぎた引換券を回収するしかない。すなわち中央銀行が刷りすぎた貨幣を回収するということだ。

回収は中央銀行による「利上げ」によって行われる。

ところが回収前に発生したのが脱コロナ禍の濃淡だ。G7を中心に2021年からワクチン供給が本格化し、併せて経済活動も復活していったが、開発国はその状況にはなかった。

グローバリズムは開発国でモノを生産して、先進国で消費する構図だ。先進国側が経済活動再開で急速にモノの需要が高まったのにもかかわらず、生産地はコロナ禍でモノを供給できない状況に陥った。

前述の例でいえば100個あった製品が50個になってしまったのだ。引換券が余っている状況で、製品が減ればさらにモノの価格が上がるのは当然である。資源・エネルギー産出国はコロナ禍にあるのにもかかわらず、消費国は脱コロナによって復活したことから価格高騰が始まった。

シェール革命によって世界最大の産油国になったアメリカだが、原油価格高騰はバイデン政権の政策によるところが大きい。

国土の広いアメリカでは、多くの国民にとってガソリン価格が最も大きな問題であり、物価の上昇が大きな問題だ。次ページの図「アメリカ州ごとの平均ガス料金」はアメリカのガソリン価格の州ごとの平均値をマップにしたものだ。

併せて中間選挙の州ごとの結果を掲載したが、ガソリン価格の高い州は民主党が支配する州である。

民主党が支配する州は貧困救済などを含めた社会福祉政策を充実させるため税金が高く、化石燃料に否定的な州ということだ。電力料金も同様で、太陽光など自然エネルギーに傾斜すれば、エネルギーコストが高くなるのも当然だ。

バイデン大統領はシェールガス、シェールオイルの採掘を止め、国有地のガソリンなどの採掘料を引き上げ、新規の採掘も認めなかった。その一方で、ESG投資やグ

アメリカ州ごとの平均ガス料金

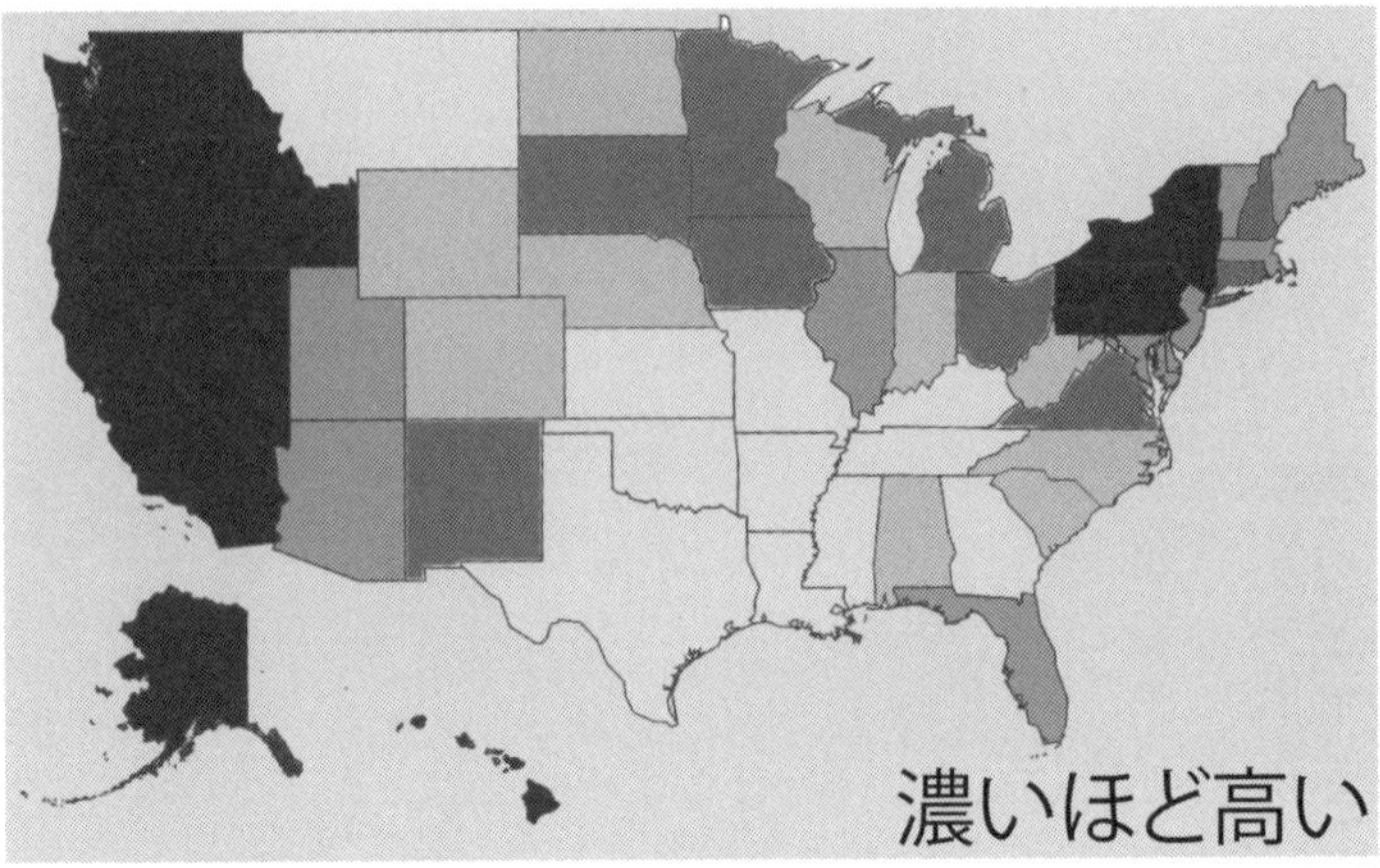

（2023年1月4日現在。https://gasprices.aaa.com/の図をモノクロ向けに加工）

2022年　中間選挙の週別結果

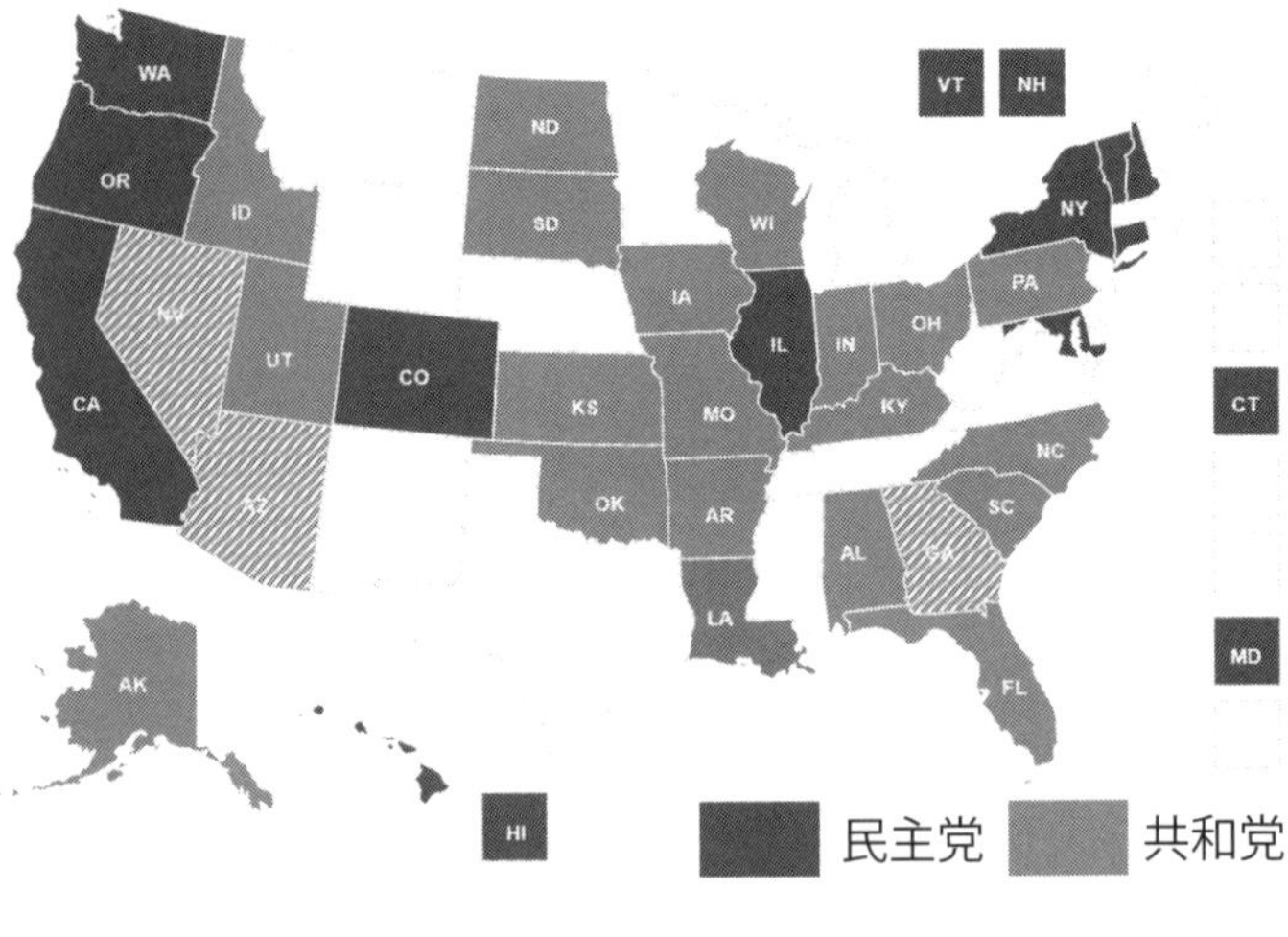

リーン投資を求め、金融などにも化石燃料融資をしないように圧力をかけたのだ。

これではエネルギー価格が上がるのは当たり前である。

その結果、インフレはもう一段高いステージに上がることになった。量的緩和と需給のアンバランスによって物価上昇していたところに、今度は資源・エネルギー価格の急騰によって生産原価そのものも急騰したからだ（次ページ図「インフレの簡易モデル――その2」参照）。

2022年中間選挙で民主党が下院で敗北したため、バイデン政権が目玉政策に掲げていたグリーン予算案や、いわゆる「SDGs予算案」が成立しない可能性が極めて高くなった。それどころか、アンチ・グリーンの動きが議会の中で大勢を占めるようにさえなってきたのである。

さらには上述のようにインフレ対策で中央銀行がマネーを回収。資金流動性が低くなった。これによってSDGsを軸にしたビジネスモデルそのものが瓦解するリスクが高くなったのである。

投資家にとって問題なのは地球環境でもなんでもなく、「儲かるか、儲からないか」

インフレの簡易モデル――その2

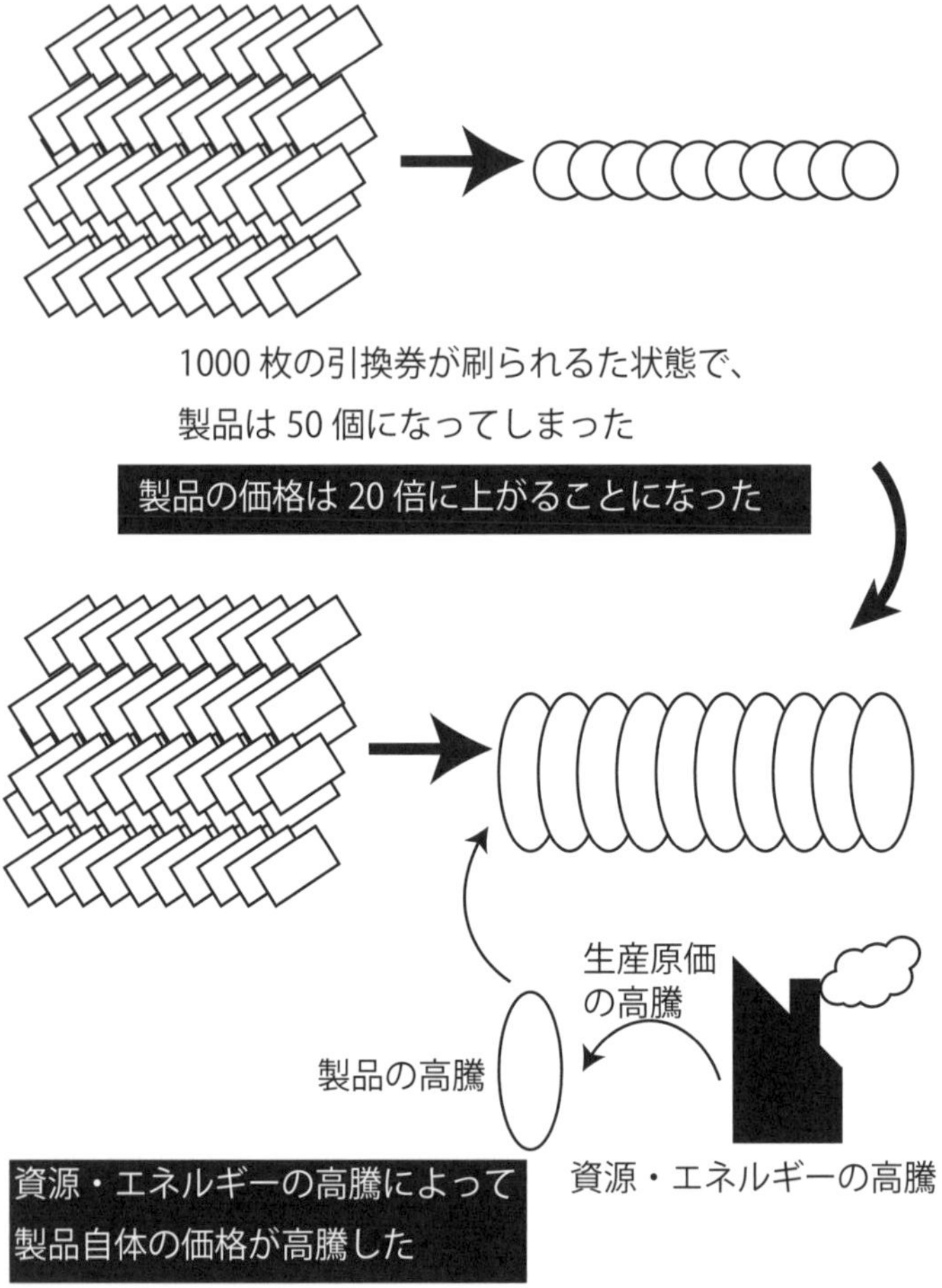
1000枚の引換券が刷られるた状態で、
製品は50個になってしまった
製品の価格は20倍に上がることになった
生産原価
の高騰
製品の高騰
資源・エネルギーの高騰によって
製品自体の価格が高騰した
資源・エネルギーの高騰

だ。儲からないリスクが高い市場から、マネーが一気に逃げ出した結果、負の連鎖に突入したのである。

第2章

グリーン・ウォッシュと格下げ

暗号資産を育てた金融不安

前述したように2022年の中間選挙は上院・民主党、下院・共和党が多数派となった。バイデン政権が目玉にしたグリーン予算案や、SDGs予算案が成立する可能性は限りなくゼロに近くなったのである。

利上げによって新流動性が低くなったことも併さった結果、サステナブル投資からマネーが逃避し始めた。このマネーの逃避について触れておかなければならない投機商品がビットコインなどの「非ステーブル形暗号資産」だ。

その理由を明らかにするために、「暗号資産」について整理していこう。

「暗号資産」と呼ばれる「何か」は「ブロックチェーン」という技術を土台にしている。

ブロックチェーンは「分散型台帳」と訳される通り、複数の場所に同じ情報を保管するという仕組みである。詳細な技術的解説は割愛するが、暗号資産は一般のインターネット回線を使い、高い匿名性を維持しながら事実上改竄が不可能な、極めて高速な資金移動を可能にするのである。

このブロックチェーン技術開発には国際政治の問題が関係している。2014年のクリミア危機でロシアは金融制裁対象になり、これに伴ってロシアの銀行はビザやマスターカードなどのクレジットカードすら扱えなくなった。

アメリカを中心とした国際社会での金融戦争で苦汁を舐めているロシアはアメリカの金融支配の中に入らない、新たな金融システムを模索した。そこで開発されたのが暗号資産の基本となる暗号技術「ブロックチェーン」である。

こうして開発されたブロックチェーン技術を土台にして「ビットコイン」が完成した。そのきっかけは、「金融」に対する「不信」の膨張にある。

2008年10月、「サトシ・ナカモト」を名乗る人物がネット上で暗号資産の土台となる論文を公開。その1ヵ月前にリーマン・ブラザーズが破綻して、世界中で「リーマン・ショック」による金融不信が膨張し、既存の金融から「新たな金融」への要求が高まった。論文は匿名性と改竄不可能という二つの特性を持つ「ブロックチェーン技術」を応用して「ビットコイン」という暗号資産となって結実する。

「リーマン・ショック」という金融不安の中で産声を上げた暗号資産は「金融不安」の中でめざましい成長を遂げる。

ビットコインの母体となったリーマン・ショックの影響で2009年、ギリシャが債務超過に陥る「ギリシャ危機」が発生。ギリシャのマネーはGDPの4倍以上を国内銀行が預かる世界有数の金融立国、キプロスになだれ込んでいた。

ギリシャ危機の影響の結果、2013年にキプロスの金融機関が経営危機に陥った。リーマン、ギリシャに連鎖的に発生した「キプロス・ショック」に対して、EUが救済の条件として求めたのが、銀行の預金封鎖だ。

この時、預金者の一部が「ビットコイン」を使って、大量の資産を国外に避難させ封鎖による資産凍結を逃れたのである。

キプロス・ショックで周知されたのは、ビットコインを使えば、国外への資金移転が簡単にできるということだった。

このスマートフォンを使った「掌の地下銀行」にマフィアやテロリストなどの犯罪

組織が群がることになる。麻薬や売春、テロ資金などありと世界中のアンダーグラウンドマネーが、ビットコインを使って資金を移転し始めたのだ。

そのビットコインの持つ「資金移転」の性質を愛用したのが中国人富裕層だ。

2015年夏、中国で株式バブルが崩壊し、それに伴い中国国内からの資金逃避が進んで、人民元が大きく売られる事態に陥った。危機感を覚えた中国の金融当局は為替に限度額を定める資本規制をかける。この結果、2016年頃には、ビットコイン売買の9割が中国人で占められるようになった。

その影響でビットコインが高騰。日本では、この時期にビットコインバブルによって「億」を儲けた人たちが、Twitterなどでその成功談を自ら発信し、マスコミから「億り人」ともてはやされたことを覚えている人も多いのではないか。

「高意識情弱層」が暗号資産にハマり始めたのは、この時期である。

そもそもネット上の「情報」に過ぎないビットコインが、なぜ価値を持つのだろうかを整理していこう。

デジタル情報が「価値」を持つ理由

いまだに「暗号資産＝ビットコイン」と思い込んでいる人もいるかもしれないが、暗号資産は大きく2種類に分けることができる。

一つが、決済システムとして、中央銀行や民間銀行などが開発している「ステーブルコイン」と呼ばれる暗号資産。もう一つが「ビットコイン」などの投機性の高い「非ステーブルコイン」と呼ばれる暗号資産だ。

両者の決定的な差は「資産の担保」だ。

中央銀行や、各国の金融庁が許可を与えた民間銀行の開発する決済システムとしての暗号資産は発行主体が明確で、国家が発行する自国通貨やドルなどの「強い資産」によって価値を担保している。こうしたステーブルコインは通貨の3条件を満たしていて価格の変動幅が少ない。

対して「ビットコイン」などの非ステーブルコインは、発行主体が何を担保にしているのかが明確ではない。そもそも論文の発表者である「サトシ・ナカモト」は日本名だが、その正体は2021年の現在でも明らかになっていないのだ。

デジタルの世界の中で生まれたビットコインなどの暗号資産は、過去の取引履歴のデータとの整合性を取りながら取引の承認・確認作業を行う。

この作業は採掘を意味する「マイニング」(mining)と呼ばれている。

2021年11月現在、日本では国家が価値を担保するステーブルコイン型の暗号資産はない。ということで「資金決済に関する法律」では「暗号資産」が、次の性質を持つものと定義されている。

①不特定の者に対して、代金の支払い等に使用でき、かつ、法定通貨(日本円や米国ドル等)と相互に交換できる
②電子的に記録され、移転できる
③法定通貨または法定通貨建ての資産(プリペイドカード等)ではない

法定通貨によって価値を担保されていないので「通貨」でも「準通貨」でもなく、「資産」ということだ。すなわち非ステーブル型暗号資産は、出所不明で、発行主体

もなく、裏付け資産もない。「富」を担保するものは存在せず、「価値があるかもしれない」という幻想が価格を高騰させてきたということである。

高額で取引される「ビットコイン」とは、実は「子供銀行券」となんら変わらない通貨もどきの「何か」ということになる。ところがその「子供銀行券」はボラティリティを生む二つの要素を持っている。

一つは交換所などを通じて基軸通貨「ドル」と交換することができる点だ。もう一つは、発行枚数上限が2100万枚と決まっている点である。

この特性によって、需要と供給のバランスが大きく崩れた時、ビットコインのボラティリティが大きくなるのである。ビットコインの「投機性」をより明らかにするために、そのボラティリティの歴史を振り返っていこう。

かつては「仮想通貨」と呼ばれていたが、2020年5月1日に金融庁が正式名称を仮想通貨から暗号資産に変更した。「仮想通貨＝ビットコイン」という時代が長く続いたが、そもそもビットコインを「通貨」と称していることが間違いだ。

というのは通貨には「価値の保存」「交換・決済手段」「価値の基準」という3つの

機能が必要だが、ビットコインはボラティリティが高すぎてこの3条件を満たすことができないからである。

投機対象としてビットコインが魅力を持つのは値動きが激しいからだ。朝100円だったコーヒーが夕方には1万円になっているようなハイパーインフレーションを起こしている国の通貨と同様、ビットコインには「価値の保存」能力が欠落している。

ビットコインを実際に決済手段として使用できるインターネットサイトがあるにはあるが極めて限定的だ。ボラティリティの高さから取り扱いをやめる代理店も増えていて、「交換・決済手段」としての普及は進まない。ボラティリティの高さは同時に「価値の基準」の設定を困難にしている。

このように「暗号資産」を整理していけば非ステーブルコインによっておカネを儲けることは投機どころか丁半博打、競馬、競輪と同じ類いのギャンブルであることがわかるだろう。

利上げによって政策金利が上がれば、このようなリスクしかない投機材に頼らなくても、銀行に預けるだけで資産形成ができるのだ。利上げによって暗号資産バブルが崩壊したのは、太陽が東から昇るがごとき当然の帰結である。

民主党の巨額献金者は暗号資産の寵児

暗号資産の原語は「クリプト（暗号）・カレンシー（資産）」だ。暗号資産バブル崩壊によってアメリカ民主党の「クリプト・ゲート疑惑」が浮上するようになった。

それが2022年11月11日の、世界中に約1000万人もの顧客を抱える大手暗号資産交換業者FTXの破綻だ。この日、FTXと日本法人を含む約130グループ会社が、連邦破産法第11条の適用をアメリカの裁判所に申請したと発表した。

破綻の原因は、顧客資産が適切に分別管理されていないことで、顧客の資産を個人的な投資会社に流用していた杜撰な構造にある。

流用先だった個人的な投資会社が大きな損失を出し、その投資会社の資産の多くがFTX発行の裏付け資産のないトークンFITだった。

FTXトークンFITとはFTXが発行する、独自の取引所トークンである。FTTを保有しているとFTXでの取引手数料が割引されたり、特別なサービスが受けられたりするメリットがあった。

FTXが定期的にFTTを買い戻して償却することで供給量を減らし、価格を上昇させる仕組みを使っていた。どこからどう見ても「ネズミ講」、すなわちポンジ・スキームだ。しかしコロナ禍の異様な資金流動性によってFTTは2021年に入ってから高騰を続けていた。

そのトークンFITの価格が暴落し、債務が資産を上回る状態に陥る。その結果、上位債権者50人に対する債務は約31億ドル（約4400億円）に上った。また、IRS（米国内国歳入庁）からも440億ドル（約5兆円）の請求を受けるなどして資産が一気に消滅したのだ。

FTXの破綻は、仮想通貨市場に大きな衝撃を与えた。破綻によって消失した仮想通貨市場の価値は600億ドル。ビットコインやイーサリアムなど主要な暗号資産の価格も大幅に下落した（次ページ図「FTX破綻と暗号資産の暴落」）。

リベラルメディアを中心に暗号資産取引の寵児ともてはやされてきたFTXのCE

FTX破綻と暗号資産の暴落

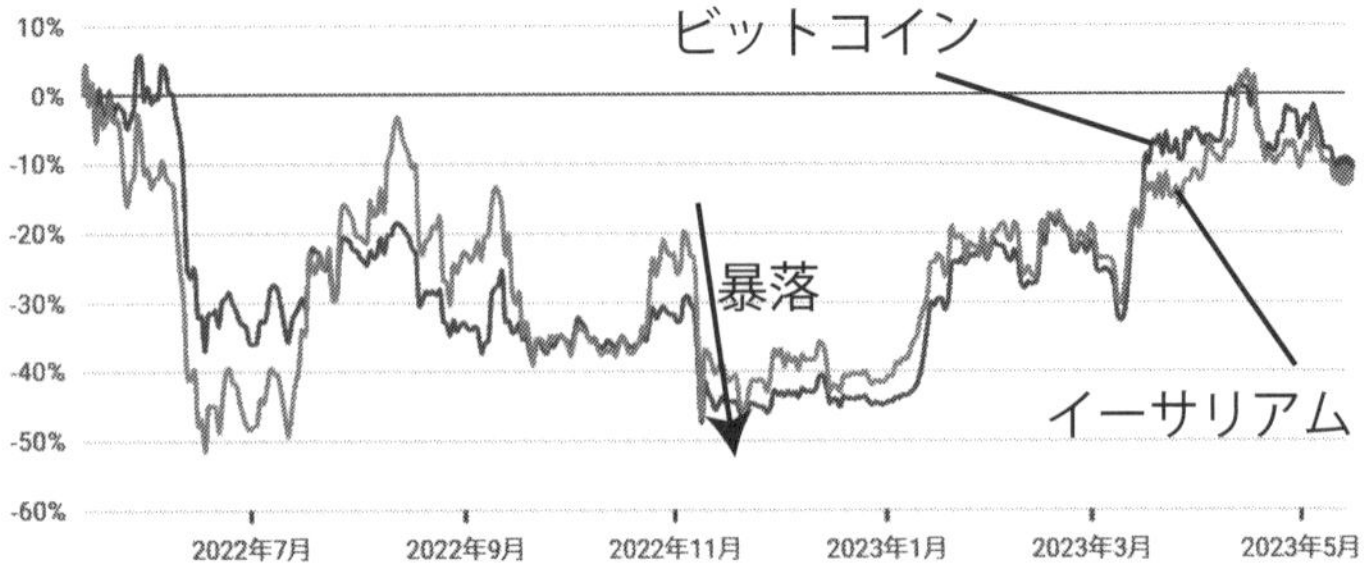

FTXの破綻で仮想通貨市場の価値は600億ドル消失

O、バンクマン＝フリード氏は、米当局から詐欺など8つの罪状で起訴された。２０２２年12月12日、アメリカ政府の要請を受けて滞在先のバハマで逮捕されることになる。

バンクマン＝フリード氏の資産は2・5兆円を超えるものだった。「効果的な利他主義」を信奉していることを自称したフリード氏は、自己収入の半分以上を寄付すると公言していた。

実際にバンクマン＝フリード氏は地球温暖化などリベラル団体、そして、いくつかのリベラルメディアのパトロンであり、巨額の献金を行ってきたことも明らかになった。

破綻後の２０２２年11月30日、バンクマン＝フリード氏はニューヨーク・タイムズの公開インタビューに応じ、詐欺行為を否定した。この報道内容に対してバンクマン＝フリード氏に有利な偏向として批判され、報じたニューヨーク・タイムズも「共謀関係である」と批判された。

２０２２年12月14日のワシントン・ポストによれば、バンクマン＝フリード氏は約

4000万ドル（約55億円）を、政治家、政治家の候補者、選挙委員会、団体に寄付。そのほとんどが民主党系の団体や政治家で、民主党への献金は著名投資家のジョージ・ソロス氏に次ぐ2位の規模である。

寄付の相手はジョー・バイデン氏やトランプ弾劾に投票した6人の共和党員など。また、商品先物取引委員会（CFTC）を監督する主要議員にも資金提供し、暗号資産市場に対するロビー活動をしていた。

2022年のアメリカ中間選挙においては上院と下院を合わせて60人以上の候補者に寄付していた。

民主党疑獄に発展する可能性が出てきたということだ。

グリーン・ウォッシュとは

同じ2022年に並行して問題化していったのが「グリーン・ウォッシュ」だ。一部メディアでは「ウォッシュ」を「洗浄」として「緑の洗浄」の訳を当てているが、まったく間違いである。

「グリーン・ウォッシュ」は、「Green（環境にやさしい）」と「Whitewashing（うわべ、ごまかし）」を組み合わせた造語だ。1980年代のアメリカ人環境保護活動家のジェイ・ウェスターヴィルト氏が発案したとされている。

以下がグリーン・ウォッシュとされている事例だ。

・「環境にやさしい」という表現を具体的に示さずに使うこと
・植物由来の原料を使っているというだけで環境負荷が低いと主張すること
・環境負荷が少ないように見せる広告イメージを使うこと
・オーガニックやエシカルという言葉を誤解を招くように使うこと
・ゼロエミッションという言葉を誇張して使うこと

また2021年9月、環境保護団体「クライアントアース」は「グリーン・ウォッシュの7つの罪」という報告書を発表。グリーン・ウォッシュの手法として、以下の

「7つの罪」を挙げた。

①隠れたトレードオフの罪：一部の属性のみを強調し、その製品がグリーンであると主張する

②証明しないことの罪：グリーンであると言いながら、実際には何も証明していない

③あいまいさの罪：定義・意味の幅があり、消費者に誤解を与える

④偽りのラベル崇拝の罪：第三者機関から認証されたように見せかけるが、実際には自社や関係者が作ったラベルやロゴを使う

⑤嘘つきの罪：事実と異なることを言う

⑥不適切な比較の罪：他社や業界と比較して優位性を主張するが、その基準が不明確である

⑦少数派への過剰な注目の罪：自社の事業全体に比べてごく一部分しかないグリーンな取り組みに過度に焦点を当てる

「グリーン、環境、ESGなんて科学的根拠も脆弱で、そもそも『ごまかし』。元々ごまかしている理念を、『ごまかし』と判定するなんて矛盾しているし、内輪揉めにしかみえない」

そう考える理性的な判断ができる人も多くいるだろう。問題は1章で書いたようにサステナブル投資が急速に膨らんだことだ（25ページ図「運用資産総額に占めるサステナブル投資資産の割合2014－2020」参照）。

グリーンも含めて、SDGsは国際的な統一基準や、罰則を含めた法律などを定めないまま突っ走った。というか理念が広大で、それぞれの国や地域の文化を破壊するため「統一基準」など不可能なのだが……。

ESG投資が膨らむ裏側で企業がそれを偽装することでグリーン・ウォッシュを行うケースが増えた。グリーン・ウォッシュを行っても罰則規定がないのだから当然といえるだろう。

本拠地で露呈したウォッシュ

一方でこの問題をそのままにしておけばＥＳＧ投資という金融商品の信用が失われてしまう。そこでＥＳＧ投資に関する情報の開示や評価が重要になり、続々と「グリーン・ウォッシュ」が露見していったのだ。

２０２２年５月、アメリカ証券取引委員会（ＳＥＣ）はＥＳＧファンドの情報開示を適切に行うための規制案を公表。ＥＳＧファンドが自らの投資方針やパフォーマンスを明確に示すことや、80％以上の資産をＥＳＧ関連の資産クラスに配分することなどを求めた。

２０２２年5月23日、アメリカ証券取引委員会（ＳＥＣ）が、バンク・オブ・ニューヨーク・メロン（以下、ＢＮＹメロン）の子会社、ＢＮＹメロン・インベストメント・アドバイザーに対して制裁金を科した。

ＢＮＹメロンは管理資産残高が約５０００兆円、受託資産が約１兆３０００億ドル

（約175兆8100億円）の世界最大規模の金融グループだ。SECが制裁金を科したことで明らかになったのが子会社のグリーン・ウォッシュである。

2018年7月から2021年9月にかけてBNYメロン・インベストメント・アドバイザーは、「BNYメロン・サステナブル・グローバル・ダイナミック・バランス・ファンド」という投資商品を販売していた。この商品はESG基準に基づいて投資先を選ぶと宣伝されていたが、実際には石油やガスなどの化石燃料産業にも投資がされていたのである。

問題となったファンドは環境投資商品の目論見書などでESG基準に基づいた投資先の選択方法を説明していなかった。そこでSECが情報開示不十分と判断し、制裁金を科したのである。

グリーン・ウォッシュはドイツでも事件化した。

2022年5月31日、フランクフルトの検察・警察当局がドイツ銀行本部とドイツ銀行の資産運用子会社「DWS（ドイチェ・アセット・マネジメント）」の事務所を家宅捜索した。

これは2021年8月のDWSの元サステナビリティー幹部、デジレー・フィクスラー氏による内部告発が引き金になっている。

フィクスラー氏はDWSが自社のサステナブル投資商品について、欧州連合（EU）の分類基準に沿って報告していると主張。DWSがEUの基準を満たしていないと指摘したのだ。

この内部告発により、アメリカ証券取引委員会（SEC）やドイツの検察・金融当局などから2021年8月25日、DWSは調査を受けることになった。

この事件の結果が、サステナブル投資市場に大きな影響を与える可能性があることが投資市場では指摘されている。

SFDRと格下げ

サステナブル投資市場は「グリーン・ウォッシュ」の爆弾を抱えているのだが、ESGファンドの大規模格下げという事態を迎えることになった。

2022年12月から2023年1月にかけて大手運用会社アリアンツ・グローバル・インベスターズやブラックロックなどが、計1250億ドル（約16兆5000億円）超相当のESG資産を格下げしたのである。

格下げの理由は2023年1月末に起こる事態に対して、運用会社が自主的に分類を見直したからだ。

そこでEUにおけるESG基準について整理していきたい。もちろんEUのESG規制は世界のサステナブル投資商品に影響を与える。欧州で起こったことは、やがて日本でも起こる可能性が極めて高いということだ。

2018年3月、欧州委員会は欧州の金融システムを持続可能な経済に転換するための包括的な戦略、「サステナブルファイナンス行動計画」を採択した。行動計画の目的は、以下の3つである。

1．資金調達　気候変動対策や持続可能な開発目標（SDGs）に資するプロジェクトや企業に民間資金を誘導する

2．リスク管理　気候変動や環境問題による金融システムへの影響を評価し、適切に管理する
3．透明性　金融市場参加者や金融アドバイザーがESG関連情報を開示し、投資家や消費者が意思決定に利用できるようにする

この行動計画に基づいて欧州委員会は「欧州サステナブルファイナンス開示規則（SFDR）」を定め、2021年3月10日から施行した。これは金融機関や投資家に対してESGに関する情報開示を義務づけるものだ。
SFDRでは「第6条」、「第8条」、「第9条」によってESG関連の金融商品を以下の3つにカテゴライズしている。

第6条　ESGに関する情報開示を行わない金融商品
第8条　「環境」や「社会」の特性を促進する金融商品
第9条　サステナブルな投資目的を持つ金融商品

ここで問題になるのは「第9条」と「第8条」だ。第8条の金融商品は「ライトグリーン」、第9条は「ダークグリーン」と呼ばれている。いずれもＥＳＧに関する情報開示の水準が高いのだが、第8条で規定した金融商品は、

・不適切な企業や業種を除外する「ネガティブスクリーニング」
・ＥＳＧパフォーマンスが高い企業や業種を選択するポジティブスクリーニング
・ＥＳＧ要因を投資判断に組み込む「ＥＳＧインテグレーション」
・特定のＥＳＧ課題に対応する企業や業種に投資する「テーマ型投資」

など、幅広いＥＳＧ戦略を採用した金融商品が該当する。「ライトグリーン」と呼ばれるゆえんだ。

一方で、第9条の金融商品は、気候変動や生物多様性などの「サステナビリティー

指標」に基づいて投資対象を選択し、その指標の改善に貢献することを目的とした金融商品である。両者の違い、メリット、デメリットなどは次ページ図「SFDR8条と9条の違い」にまとめた。

「ダークグリーン」と呼ばれるのは、基準が厳格だからだ。当然のことながら格付けは第8条「ライトグリーン」より、第9条「ダークグリーン」の方が高い。

ここまでの構図は次々ページ図「SFDR（欧州サステナブルファイナンス開示規則）まとめ」にした。

厳格過ぎて金融商品にならない

ところが多くの金融商品は第9条「ダークグリーン」に申請した。しかし2023年1月大きな「壁」が発生する。それがSFDRの規制技術基準（RTS）だ。RTSとは、SFDRの各条項に基づいて開示すべき情報の内容、方法論、提示方法をさらに具体化した規則だ。2021年4月に欧州委員会が採択し、以下の情報開示を要

SFDR8条と9条の違い

8条ファンド	
環境や社会の特性を促進するが、サステナブルな投資目的を持たないファンド。例えば、ESG指標を用いて企業のパフォーマンスを評価し、ESGスコアが高い企業に投資するファンドや、特定のセクターや地域から排除された企業に投資しないファンドなど	
メリット	環境や社会の特性を促進することで、ESGに関する高い水準の開示を行うことができる。また、サステナブルな投資目的を持たないことで、投資対象や戦略に柔軟性を持つことができる
デメリット	環境や社会の特性を促進することで、ESGに関する高い水準の開示を行うことが必要になる。また、サステナブルな投資目的を持たないことで、投資家からの信頼や評価が低くなる可能性がある
9条ファンド	
サステナブルな投資目的を持ち、100%サステナブル資産のみを保有するファンド。例えば、気候変動に対応するために、温室効果ガス排出量を削減する企業や再生可能エネルギーに投資するファンドなど	
メリット	サステナブルな投資目的を持ち、100%サステナブル資産のみを保有することで、ESGに関する最高水準の開示を行うことができる。また、気候変動や社会的課題に対する投資家のニーズに応えることができる
デメリット	サステナブルな投資目的を持つことで、投資対象や戦略が限定される可能性がある。また、ESGに関する最高水準の開示を行うことで、コストや負担が増加する可能性がある

SFDR（欧州サステナブルファイナンス開示規則）
まとめ

２０１８年３月

「サステナブルファイナンス行動計画」

1	資金調達	気候変動対策や持続可能な開発目標（ＳＤＧｓ）に資するプロジェクトや企業に民間資金を誘導する
2	リスク管理	気候変動や環境問題による金融システムへの影響を評価し、適切に管理する
3	透明性	金融市場参加者や金融アドバイザーがＥＳＧ関連情報を開示し、投資家や消費者が意思決定に利用できるようにする

２０２１年３月10日　SFDR施行

８条
ライトグリーン
・高範囲で審査が緩い
・格付けが高い

９条
ダークグリーン
・限定的で審査が厳格
・格付けが高い

サステナブル関連の金融商品が９条に申請

２０２３年　ＲＴＳ（規制技術基準）適用

ＲＴＳ前に審査したところ、多くの金融商品が８条に格下げ。この結果、ファンドも格下げした。

求している。

・商品レベル　金融商品が持続可能な投資や持続可能性リスクにどのように寄与しているか、またはどのように影響を受けているかを開示する

・組織レベル　金融市場参加者が持続可能性リスクや持続可能な投資に関する方針や手続きをどのように適用しているかを開示する

・タックスノミー規則との整合性　金融商品がタックスノミー規則で定められた環境目的にどの程度寄与しているかを開示する

ＲＴＳは２０２１年１月に施行される予定だったが、欧州金融監督機構（ＥＳＡｓ）が２０２０年12月に提出した案に対して欧州委員会が修正を求めたため延長。２０２２年４月に欧州委員会が採択して、ＲＴＳの適用開始日が２０２３年１月１日となった。

このＲＴＳ開始に合わせて各運用会社は２０２３年１月から２０２１年３月からの

ＳＦＤＲのさらにレベルを上げたものに適合する必要性が生まれた。運用会社が自主的に分類を見直した結果、多くのＥＳＧファンドが格下げされたのである。

その結果、「９条」登録ファンドの多くが、基準の緩い「８条」に格下げとなった。実に１２５０億ドル（約16兆５０００億円）超相当のＥＳＧ資産が格下げられたのである。

この９条申請による「グリーン・ウォッシュ」が一斉にあぶり出された背景は、あまりにも厳格な基準にある。というのは格下げされたファンドの多くはサステナビリティー投資を80％は保有していて、中には90％保有しているとするファンドもあったからだ。

ところがＳＦＤＲのＲＴＳによれば、１００％のサステナブル資産のファンドのみ「第９条」が認められる。

問題はこれだけではない。

欧州証券市場監督機構（ＥＳＭＡ）はＥＳＧおよびサステナブル投資に数値化が可能な基準を設けることを計画している。このことで「第８条」、「ライトグリーン」に分類されたＥＳＧファンドさえ枠外に分類されるリスクが上がっているのだ。

現在「ライトグリーン」に分類されているファンドの資産合計は約４兆ドル（約５５０兆円）規模とされている。

このうちＥＳＭＡが設定する予定の基準に適合するのはたった18％であると、２０２２年12月12日に「ブルームバーグ」が『ＥＳＧファンド、「８条」から低分類に変更必要にも－５５０兆円に影響』で報じている。

８条からさらに格下げられた場合、もはやその金融商品を「ＥＳＧ」、「サステナブル」と銘打って売り込むことは難しい。

持続可能な社会を作るための投資は、フタを開ければ持続不可能だったという皮肉な結果だ。この影響は拡大し「遠因」として銀行を破綻させる事態にまで進んでいく。

第3章

SDGsバブル崩壊

意識高い系とSDGsの親和性

ほとんどの人が「意識が高い人」という言葉に触れたことがあるのではないか。

元々「意識が高い人」というのは目標に向かって寡黙に努力し、それをひけらかさない人を指す言葉だった。そういう人は自分の弱点や課題を認めて改善しようとしたり、他人から学ぼうとしたりする。

つまり「意識が高い」というのは非常に肯定的な意味で使われていたのだ。

これと対称的な意味でネットスラングとして広がっていったのが「意識高い系」である。

目標に向かって努力することなく、自分を良く見せるためにそういうふりをする人のことを指す。自分の目標や努力を周りに見せびらかしたり、流行りのものに乗っかったりする傾向が極めて強い。自己顕示欲や承認欲求が強く、中身が伴っていない人として批判される人たちのことだ。

「意識高い系」は、自分の経歴や人脈をSNSで自慢する傾向がある。人脈といってもSNSで有名人フォローしているというだけのことだ。またビジネス書などをテーマにした投稿やサークル活動をするが、実際には深く理解していないこともほとんど。他人と比較することで自分の評価を自分で高める。それゆえ、人の目につくような動きが好きで、自分の努力や成果をアピールするのだ。

わざわざスターバックスに行ってパソコンを広げて、有名店の格安ランチを食べた話をSNSにアップする人といえばわかりやすいだろうか。

ポジティブな意味の「意識が高い人」と、極めてネガティブな意味の「意識高い系」は区分けされていた。だが2023年の今日「意識高い系」が「意識が高い」という言葉を乗っ取ってしまった印象だ。

この「意識高い系」が群れ集まるのが「暗号資産」や「SDGs」である。

前述したようにSDGsは「持続可能社会の実現」という模糊とした理念だ。模糊としているがゆえに「知識がない」ということが露呈しにくい。にもかかわらず社会のために善行を積んでいるということをアピールしやすい。

ＳＤＧｓと「意識高い系」の親和性をわかりやすく示しているのが「レジ袋」だ。レジ袋は石油精製の際に出る副産物でできており、環境負荷は限りなく少ない。さらにレジ袋の量が減ったため、ごみ焼却のために石油などを負荷する必要が出てきた。意識高い系はエコバッグを好み、ＳＮＳ上でエコバッグ自慢をするが、布製でも最低２５０回程度利用しないと環境負荷はレジ袋よりも大きい。また、販売時などの無駄な手間などを考えれば、さらに負荷は大きなものになる。

イメージだけは良いが、実は非合理的であり、環境負荷を増やしているのが現実だ。

もちろんアメリカにも「意識高い系」は存在する。ただし日本とは文化や背景が違う。アメリカでは、自分の意見や価値観を積極的に発信することが尊重される傾向があって、自己顕示欲はポジティブに捉えられるからだ。

それに当たる英語は少なく、Ａｐｐｌｅやスターバックスなどのブランドが好きで、流行や文化に敏感でオシャレな人を指すネガティブな表現「hipster」が「意識高い系」に近いとされている。

ＦＲＳが利上げを行ったことで金融の流動性が下がった。アメリカ中間選挙で下院で共和党が多数派を占めたことで、グリーン予算が成立する可能性が低くなった。そこに投資基準の厳格化によって大量の「グリーン・ウォッシュ」が露呈し、ESG投資の格下げが発生した。

この流れの中でいくつかの意識高い系銀行が破綻したのである。

暗号資産に特化した銀行が突然破綻

2023年3月8日、アメリカの銀行、シルバーゲートが経営破綻を発表した。シルバーゲートは1988年に設立されたが、特徴的だったのは仮想通貨に特化した点だ。

暗号資産業界で「革新的な金融インフラソリューションとサービスを提供する」主要プロバイダーとなっていたと自称。「暗号資産銀行」と呼ばれ、仮想通貨投資家や取引所に対してドルやユーロの決済システムやステーブルコインUSDCの発行などのサービスを提供していた。

そこで発生したのが、前述した暗号資産バブル崩壊と、ＦＴＸの破綻である。

ＦＴＸはシルバーゲートの預金の約10％を占める大口顧客の一つだった。そのＦＴＸが２０２３年2月に不正取引容疑でアメリカ司法省に捜査され、その結果、資金不足に陥る。

ＦＴＸの破綻により、シルバーゲートは巨額の貸し倒れを被り、信用不安が高まった。その結果、他の仮想通貨交換業者や投資家などがシルバーゲートから資金を引き出す取り付け騒ぎが発生したのである。

約81億ドル相当の顧客による出金をカバーするために、赤字で資産を売却し、従業員を40％削減することにした。しかし、預金総額は約63億ドル（約８６００億円）から約18億ドル（約２４００億円）へと急減。

２０２３年3月8日に銀行事業の清算を発表することになったのである。

このシルバーゲートと関連して２０２３年3月10日に破綻した意識高い系が愛用した銀行が、シリコンバレーのビジネスの中核を担ってきたＳＶＢ（Silicon Valley Bank の略で「シリコンバレー銀行」）である。

意識高い系銀行の代表「SVB」も破綻

SVBは1983年、新興企業のニーズに焦点を当てた銀行として設立した。創業者はウェルズ・ファーゴの重役だったビル・ビガースタッフとスタンフォード大学教授のロバート・メデアリス。2人はバンク・オブ・アメリカの元マネージャーでテニス仲間という関係だ。

ポーカーゲームをしながら、スタートアップ企業に特化した銀行のアイデアを思いついたという。このエピソードからして、すでに意識高い系である。

現在のアメリカではスタートアップ企業への投資が積極的に行われているが、当時は、そうした考え方は珍しかった。SVBは新興企業が収益を上げるまでに時間がかかることを理解し、ビジネスモデルに基づいてリスクを管理し、融資を構成する。

SVBはベンチャーキャピタル、法律事務所、会計事務所にスタートアップ企業を繋ぐ。そうしてベンチャーキャピタルに融資させ、企業から預金を回収。得た預金で融資するシステムだ（次ページ図「SVBの初期収益モデル」）。

その後、SVBはベンチャーキャピタルの銀行業務や、融資業務に進出。やがてベンチャーキャピタルはスタートアップ企業にSVBでの口座開設を義務づけるようになる。

SVBはパイオニアとなった。

1980年代、シリコンバレーのハイテク経済成長と共にSVBも急成長する。1985年SVBは390000ドルの赤字だったが、1991年には1230万ドルの黒字となった。

1990年代に不動産投資にも進出。1994年にはワイナリーを投資対象としたのである。1995年、SVBは企業市民活動プログラムを運営するために、非営利団体「シリコンバレー銀行財団」を設立。「意識高い系」への資金提供によって、企業イメージを上げる付加価値の創造へと向かった。

90年代の不動産下落で損失を出したものの、2000年代に向けてドットコム・バブルが起こった。テクノロジー企業にニッチフォーカスしたSVBのビジネスは急速

SVBの初期収益モデル

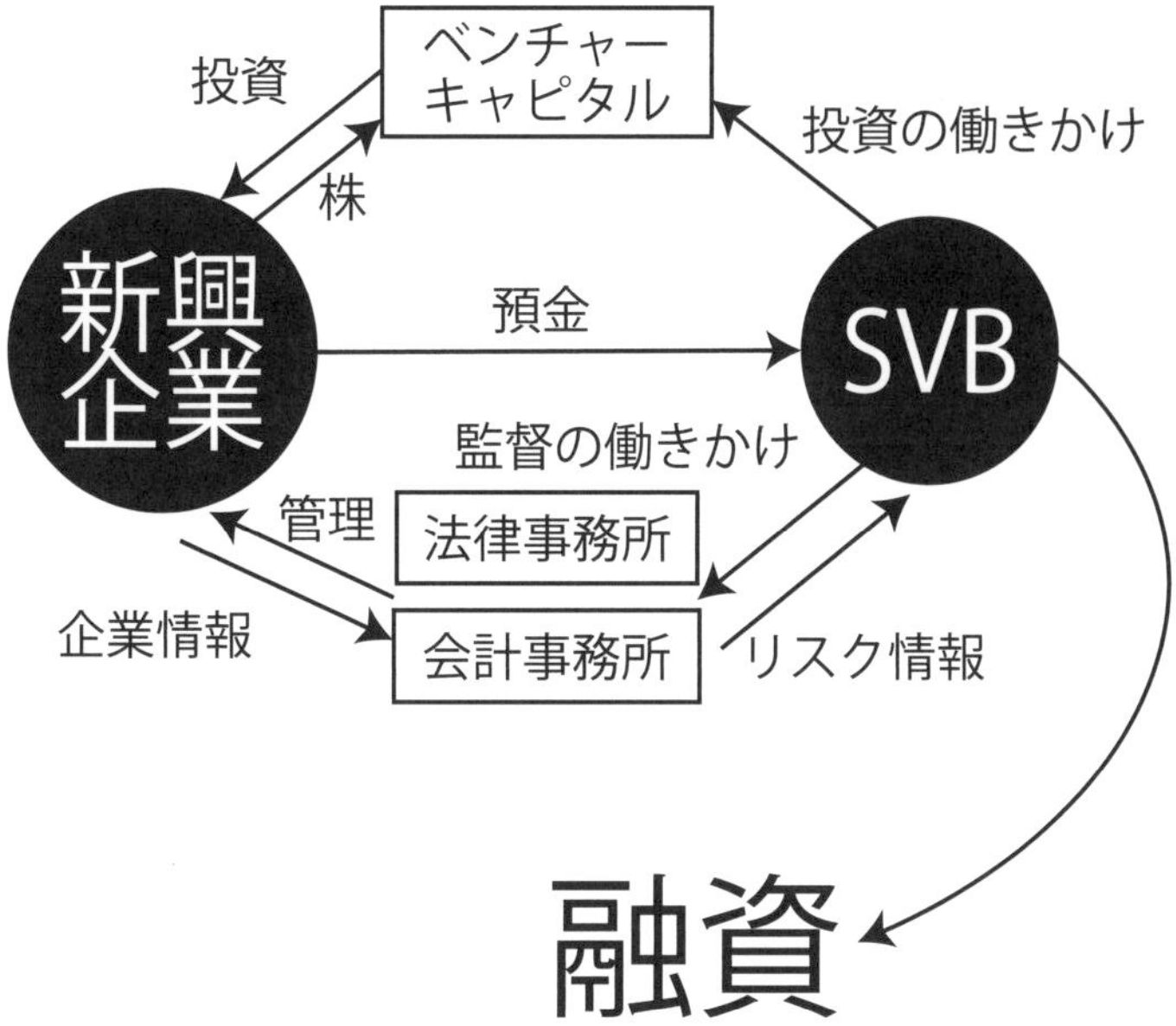

に拡大する。

国家の規制を受けないサイバー空間に生きるシリコンバレー系企業にとって、「国境」という概念はない。グローバリズムの本格化に併せてSVBも海外へと進出。2004年には、バンガロール、ロンドン、北京、イスラエルで新たに業務を開始した。サブプライム問題から発生したBNPパリバショック、そしてリーマン・ショックをどうにか乗り切ったSVBは、2010年代に成長著しい中国にビジネスをシフト。2012年には、上海浦東発展銀行（SPDB）と提携し、上海を拠点とする独立した銀行、SPDシリコンバレー銀行を設立。中国でテクノロジー新興企業への融資を開始した。

2015年、SVBはアメリカのスタートアップ企業全体の実に65%にサービスを提供するまでになる。特に、台頭してきた暗号資産スタートアップに取り組む唯一のアメリカ金融機関として活躍した。

こうした活動の結果、SVBの主要顧客はテクノロジー、ライフサイエンス、ヘルスケア、プライベートエクイティ、ベンチャーキャピタル、プレミアムワイン業界の企業や人になる。

インドの新興企業の間で影響力を持ち、創業者が社会保障番号を持たない企業にも積極的にビジネスを展開した。

利上げによって債務超過に

ＢＮＰパリバ、リーマンの各ショックによって2007～8年にかけて世界金融危機が発生した。リーマン・ショックによって巨大銀行は大規模な自己資本規制を受けた。それに対して、中小零細や地方銀行への監視は甘く、自由なままだった。

中堅のＳＶＢは、この巨大ショック後、「ハイリスク・ハイリターン」というラディカル銀行経営と「安全で退屈」な伝統的銀行経営を両立させるようになる。

前者の「ハイリスク・ハイリターン」な銀行経営の典型例が「モーゲージ債」への投資だ。モーゲージ証券とは不動産ローンを担保に発行される「債券」で、不動産ローンの返済金を債券の利払いや償還に充てる仕組みである。

リーマン・ショックはサブプライム債の破綻をきっかけに発生した。そのリーマンへの対応としてゼロ金利政策が実行され、金融の流動性が高められる。そこで再びサブプライム債に近い「モーゲージ債」への投資が行われたということだ。ラディカル系の銀行は、「ポンジ的思考」に陥りやすい。「おカネがおカネを生まなければならない」という「ネズミ講」に自らハマっていくということだ。

後者の「安全で退屈」な伝統的経営としてSVBは資産を米国債の長期債で保有することになる。

「ハイリスク・ハイリターン」と「安全で退屈」を両立したこと。またコロナ禍で金融の流動性を異次元レベルで高くしたことで、余ったマネーはテック関連になだれ込んだ。実際に次ページ図「2008年~2022年までのSVBの財務状況推移」を見ればわかるように、SVBの経営状況は順調そのものだ。SVBはFRSの加盟銀行で、サンフランシスコ連邦準備銀行の取締役会のクラスAメンバーでもあった（53ページ「アメリカの中央銀行制度」参照）。

ところがSVBはFRSの利上げによって巨大損失を生み出すことになる。

2008年～2022年までのSVBの財務状況推移

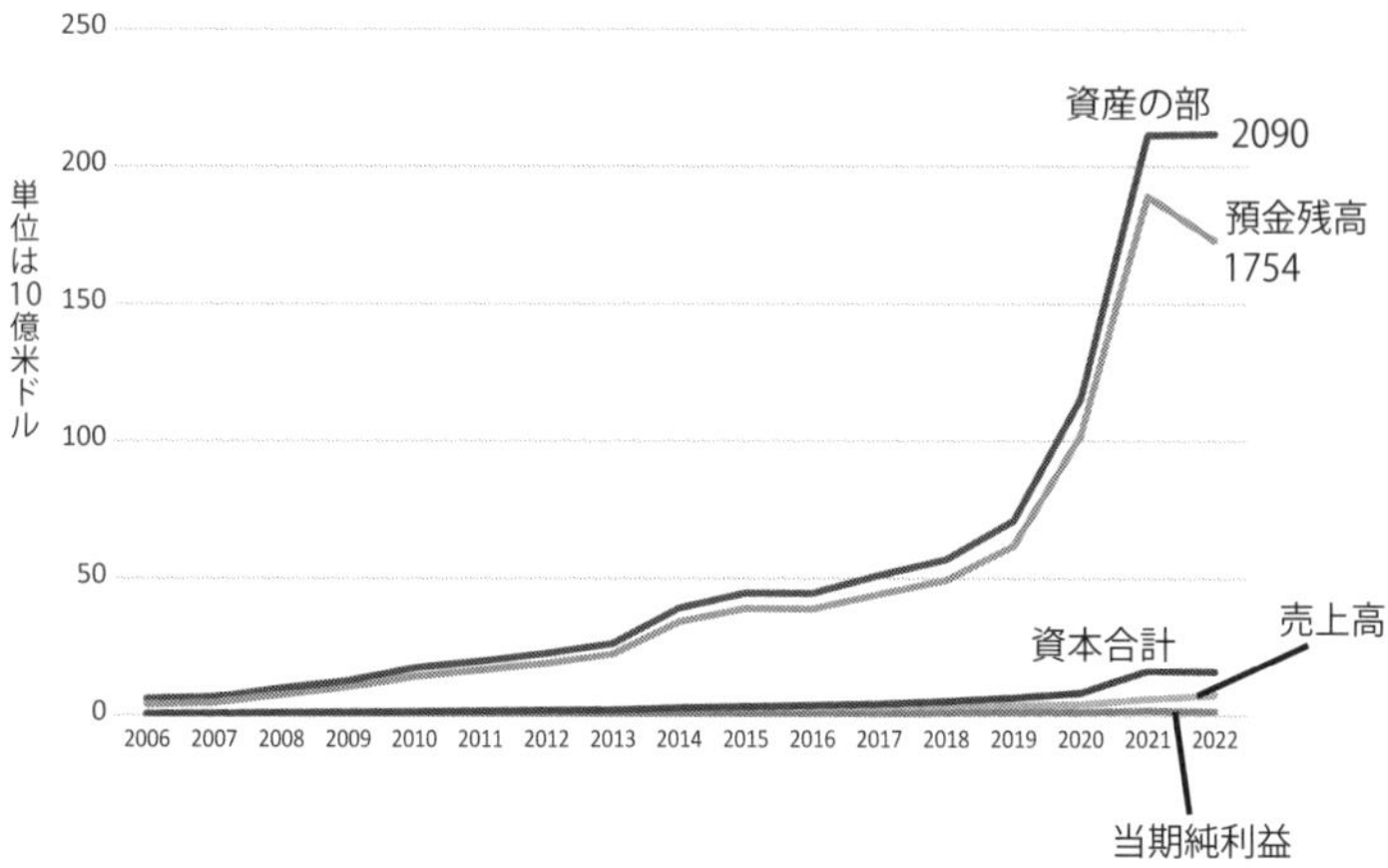

モーゲージ債は金利が上昇すると価格が下落する傾向がある。ただ下落するのではなく金利上昇の速度より強力に価格下落が加速する「ネガティブコンベクシティ」という性質を持っているのだ。

インフレ対策としてFRSが利上げを続けた。ゼロ%付近からわずか1年ほどで4・75～5%のレンジに引き上げたのは数十年ぶりの出来事である。結果、SVBが保有するモーゲージ債の価格は大幅に下落した。

SVBが保有していた米国債の多くは長期債だったことは前述した。金利と国際価格はトレードオフの関係にあって金利が上昇すると国際価格は下落する。その中で、長期債は金利上昇に伴う価格下落の影響を受けやすい。

SVBは保有している米国債のほとんどを、満期まで所有する意図をもって保有する債券「満期保有証券（HTM）」として分類。価格変動による損失を計上する必要がないと考えていた。

HTMは取得原価で評価され、価格変動による未実現損益は計上されない。しかし、減損の兆候がある場合は、価値を減損する必要がある。ところが急速な利上げによってSVBが保有する債券の価格が大幅に下落。SVBの保有する超安全資産の米国債でさえ減損の兆候が現れた。

そこで連邦預金保険公社（FDIC）が、SVBのHTMの価値減損を要求。このことでSVBは資本不足、すなわち「債務超過」に陥ったのである。

ただしSVBを破綻させた直接的な原因は「債務超過」ではない。信用不安が報じられ「取り付け騒ぎ」、すなわち「バンク　ラン（Bank Run）」が起きたからだ。報道から破綻までの時間は実に24時間以内という急速なものだった。

こうなった要因は前述したSVBの保有資産だけではなく、預金者の性質による部分も大きい。SVBの預金者の9割近くが、預金保険の対象となる25万ドルを超えていたのである。預金保険の対象外であるがゆえに、破綻を恐れた預金者による引き出しが集中し、資金を確保するために緊急の資産売却を迫られた。

モーゲージ債も米国債の長期債も売却すれば損失がわかっていながら、換金せざるを得なくなったのである。

銀行破綻の基礎知識

ここで一度、銀行の破綻について整理しておきたい。銀行破綻の直接原因は銀行が債務超過に陥ることではなく、取り付け騒ぎである。

「預金」とは預金者が銀行におカネを預けているということではない。銀行にとっては預金者からの「借り入れ」なのだ。ゆえに銀行は預金者に「利息」という金利を払わなければならない。

銀行は預金者から借り入れた「預金」を資本に資金を融資や投資に利用する。このため、一時的に大量の預金解約などが生じた場合、手元の資金が不足。手元資金確保のために、保有する債権などの資産を現金化する必要が生じる。

短期に資産を現金化しようとすれば、市場の状況次第で巨額の損失「キャッシュバーン」が発生するのだ。それがシルバーゲートや、ＳＶＢの破綻に繋がったことは前述した通りである。

銀行の健全性に関する規制の国際基準を設定すると共に、銀行監督に関する協力について意見交換を行うのがバーゼル銀行監督委員会だ。日米欧などの中央銀行や金融監督当局で構成され銀行監督に関する継続的な協力のための協議の場を提供する国際機関である。

銀行自己資本比率は、「バーゼル銀行監督委員会」と各国金融監督当局により監督されている。2017年に、銀行の自己資本規制比率、ストレステスト、市場流動性リスクに関する、グローバルであるが各国の裁量に任される規制の枠組み「バーゼルⅢ」が最終合意。2023年までに段階的に導入されている（次ページ図「バーゼルⅠからの経緯」参照）。

自己資本比率は銀行の資産規模や国際的な決済の有無などにより、最低維持すべき水準が違う。基本的には、リスクアセット（リスク資産）に対して、自己（株主）資本が存在し、損失を自己資本でカバーできるようになっている。（次々ページ図「銀行の自己資本比率規制」参照）。

しかし、このリスクが想定以上になった場合、債務超過になってしまうのだ。

バーゼルIからの経緯

1988年7月バーゼルIに合意

国際的に活動する銀行の自己資本比率の測定方法や達成すべき最低水準を規定

↓

2004年6月バーゼルIIに合意

金融取引の多様化・複雑化やリスク管理手法の高度化に合わせ、リスク計測手法を精緻化

↓

2008年　世界金融危機

↓

2010年以降 バーゼルIII

2010年合意　自己資本の質・量の強化

損失吸収力の高い資本（普通株式、内部留保等）の自己資本に占める割合を高めるとともに、資本バッファーを導入することで、自己資本の質・量を強化

2013年以降合意
流動性規制の導入、開示規制の見直し等

流動性規制（流動性カバレッジ比率（2013年）、安定調達比率（2014年））の導入、開示規制の見直し（2015年・2017年）、証券化商品の取扱いの見直し（2014年・2016年）、トレーディング勘定の抜本的見直し（2016年）等

2017年12月　バーゼルIIIの最終化

リスク・アセットの過度なバラつきを軽減するためのリスク計測手法（信用・市場・オペ）等の最終見直し

銀行の自己資本比率規制

$$自己資本比率 = \frac{自己資本}{リスクアセット（RWA）} \geqq 8\%$$

リスクアセットとは…

保有資産額にリスクウェイトを乗じて算出

信用リスク	貸出先（企業、個人等）の債務不履行リスク
＋	
市場リスク	市場の動向による保有有価証券等の価格変動リスク
＋	
オペレーショナルリスク	事務事故、システム障害、不正行為等で損失が生じるリスク

（例）大企業向け貸出 ×100%＋中堅企業向け ×85%＋中小企業向け ×75%＋国債 ×0%＋……

バーゼルⅢの最終化パッケージ（2017年12月7日公表）

（1）信用リスクの標準的手法の見直し
- 中堅企業向け債権（無格付）のリスクウェイト（RW）を引下げ（100%⇒85%）
- 株式の RW を引上げ（100%⇒250%）

（2）信用リスクの内部モデル手法の見直し
- 各銀行による内部モデルの利用範囲を制約
- デフォルト確率等の自行推計値に下限を設定

（3）オペレーショナルリスクの計測手法の見直し
- 内部モデル手法を廃止し、計測手法を一本化
- 銀行のビジネス規模と損失実績を勘案

（4）資本フロアの導入
内部モデルにより算出したリスクアセット（RWA）額は、標準的手法により算出した RWA 額の 72.5%を下限とする

このような場合、各国金融監督当局は銀行預金の封鎖を命じ、損失の拡大防止を行う。また、各国は預金保険制度を設けており、上限額までは預金保険で支払われることになっている。例えば日本の上限額は１０００万円、アメリカは25万ドルだが、但し、外貨預金など一部は対象外だ。

また、各国金融監督当局は、緊急の貸出制度など破綻防止のための制度を設定している。これは資産の換金に伴う損失を減らすと共に、潤沢に資金を供給することで預金者の不安を抑えるための制度だ。

ＳＶＢ破綻の時には、２０２３年3月13日にＦＤＩＣが、すべての預金者を保護するためにＳＶＢの預金を管理下に置いた。このことで、預金者が自分の預金を失うことはなかった。

また同日同時刻にはＦＲＳが通常より貸し付け条件が緩やかな「バンク・ターム・ファンディング・プログラム」を設定することを発表。これは、ＳＶＢの預金者の引き出し需要に応えるための安全装置として提供された。

一連の措置は信用不安が他行に波及し、新たな取り付け騒ぎが起きるのを防止することが目的だ。

ただし、これらはあくまでも預金者のみが保護の対象であり、銀行や株主等は保護の対象外である。破綻に陥っている時点で自己資本を超える損失が出ている可能性が高く、株券は紙切れになり、配当が受けられる可能性はゼロに近い。

また、銀行間融資などで資金を貸し付けている他の銀行にもそのリスクは飛び火する可能性がある。そして、破綻した銀行が保証している債権などにもその影響が波及する。

こうした制度によって預金者は保護されるが、株主は保護されない。当たり前ではあるが、銀行株式保有のリスクに市場は対処する。但し、巨大銀行など中核部分の規制は強化されており、非常時対応に対するシステム設計もあり堅牢である。

ＳＶＢ破綻のもう一つの問題はＳＤＧｓだ。シルバーゲートからＳＶＢへの連鎖破綻は、いわば「意識高い系」の崩壊といえるのである。

意識高い系の崩壊

シルバーゲートとSVBの破綻には関連性がある。

シルバーゲートは暗号資産分野に特化した銀行で、大手仮想通貨取引所、FTXが大口の取引先だった。そのFTXは2022年11月に破綻した。その影響でシルバーゲートから多くの預金が引き出される取り付け騒ぎが起き、2023年3月に銀行業務を終了した。

一方のSVBはシリコンバレーのテクノロジー企業やスタートアップに資金を提供していた銀行だった。そのことで暗号資産業界と深く関与していると思われていたのである。

シルバーゲートの破綻がSVBにも影響を与えたという噂や誤解がネット上で拡散。その結果、SVBの預金者も取り付け騒ぎを起こし、債務超過に陥った。

このことを検証してみよう。

シルバーゲートの収益における暗号資産取扱の割合は公式に発表されていない。だが同行の暗号資産決済ネットワーク「シルバーゲート・エクスチェンジ・ネットワーク（SEN）」の取引高は、2021年上半期に4060億ドル（約55兆円）と過去最高を記録。しかしFRSが利上げを行ったことで暗号資産バブルが崩壊した2022年下半期には2300億ドル（約31兆円）まで落ち込んだ。

こうしたことから考えても暗号資産ビジネスが同行の収益の大部分を占めていたことは間違いない。シルバーゲートの暗号資産取扱量は、ほぼ100％に近いと考えられる。

SVBの暗号資産取引量の割合は、公式には発表されていない。確かにSVBは暗号資産取引業者とも積極的に取引していた。2021年には預金の30％が暗号資産取引業者になっていたことが報告されている。

とはいえ暗号資産業界に特化したシルバーゲートの取扱量と比べて極めて低い水準だ。SVBは暗号資産関連企業との取引を積極的に行ってはいなかった。前述したように「安全で退屈」な米国債の長期債で資産を保有していたのだ。

両者のビジネスモデルはまったく異なるので、本来であれば一概には比較できないということだ。

シルバーゲートやSVBなどの破綻の根幹にあるのはコロナ禍による量的緩和によるカネ余りが生み出したバブルだ。地方銀行や新興銀行など、暗号資産やグリーン投資などに積極的かつ急激な業容拡大を続けてきた。こうした「三番手以下の銀行」に破綻リスクが及ぶということだ。

実際に暗号資産取引で知られるシグネチャー銀行は、2023年3月12日に経営破綻した。SVBの破綻の影響である。

SVBはグリーン投資を積極的に支援してきた。そのため、1500以上のグリーン関連企業に貸し付けを行い、太陽光などグリーン関連債権の6割近くにかかわってきたとされている。

このため、SVBの破綻はESGやグリーン関連企業に影響が波及していくと見られているのだ。

前述したように、こうた債権は民主党のグリーン政策が生み出したもので、「バイデン銘柄」ともいえる。しかし2022年中間選挙で下院を共和党が支配したことで、グリーン関連予算は凍結される可能性が高くなった。

事業の採算性に関しても悪化することも予測され、グリーン銘柄に関連したさらなる破綻、破産が起こる可能性は高い。

グリーン投資の基本は、国家による支援ありきであり、元々採算性が悪い事業を補助金と固定買取などにより収益モデル化したものであり、政治的要素が強いものである。

本来であれば成立しない話なのだ。これをSDGsやESGともてはやしてきたわけである。しかし、今回の破綻により、米国のESGなどに対する対応が変化する可能性も高く、電力料金高騰と共にビジネスモデルそのものが終息する可能性もある。ある意味、グリーンバブル崩壊の始まりを告げるものなのかもしれない。

一連の破綻劇は暗号資産や、グリーン（環境）を含めたSDGsに積極的に関与してきた「意識高い系」の崩壊ともいえるわけだ。

世界に波及する格下げ

この「意識高い系」の崩壊を如実に示すファクトが、ＥＳＧ投資格付けの引き下げだ。ＳＦＤＲの適用化を前に自発的な格付けが行われたがヨーロッパ発の動きは、アメリカにも飛び火することになったのである。

２０２３年３月31日にはアメリカのＭＳＣＩがＥＳＧ格付けを見直し、３万本以上のＥＳＧファンドが格下げられることが明らかになった。全体の20％を占めていた「ＡＡＡ」格付けのＥＳＧファンドは、格付け見直しによってわずか０・２％になるという。

このニュースの衝撃は日本では共有されていない。そこで整理をしていきたい。

ＥＳＧ投資格付けを行っている機関は世界中にあり、日本では日本経済新聞社などがＥＳＧ評価を提供している。世界の主要ＥＳＧ評価機関としてはＦＴＳＥ（フィナンシャル・タイムズ・ストック・エクスチェンジ　イギリス）、ＭＳＣＩ（モルガン・スタンレー・キャピタル・インターナショナル社　アメリカ）だ。

問題点は基本となる基準がないこと。ESG評価機関は、それぞれ独自の基準や方法でESGスコアを算出していて企業のESGパフォーマンスやリスクを測定している。本来「ものさし」であるべきものなのに、頻繁に「ものさし」が変わる事態になっているのだ。

ESG投資格付けとは、企業の環境・社会・ガバナンス（ESG）に関する取り組みやリスクを分析・評価し、スコア化したものだ。ESG投資格付けは、投資家が責任ある投資を行う際の判断材料となる。

しかしESG投資格付けは、複数の機関が独自の基準や方法で行っており、同じ企業でも異なる評価となる場合があるのだ。

ESG評価機関の大手が基準を変更すれば影響力もそれだけ大きいことになる。特にMSCIの「格下げ」は今後のESG投資を見通す上で重要な指標となるだろう。

MSCIはニューヨークに本拠とする金融サービス企業だ。1969年にモルガン・スタンレーが設立した、国際株式市場の指数を作成する部門から出発した。19

98年にモルガン・スタンレー社から独立し、株式指数の算出やリサーチの事業を開始。

2007年にニューヨーク証券取引所に上場し、金融サービス企業で、株価指数の算出やポートフォリオ分析などを行っている。

MSCIは国別、地域別、産業分類別、マーケットタイプ別など、様々なカテゴリーに分けられた約19万の「MSCI指数」を算出・公表。代表的な指数としては、以下のようなものがある。

・MSCIワールド・インデックス：先進主要国の株式市場をカバーする指数
・MSCIエマージング・マーケット・インデックス：新興国の株式市場をカバーする指数
・MSCIオール・カントリー・ワールド・インデックス：先進主要国と新興国の株式市場をカバーする指数
・MSCI　EAFEインデックス：欧州、オセアニア、極東地域の株式市場をカバ

ーする指数

一連のサービスは約70カ国・地域の株式市場をカバーし、世界の多くの投資家や投資信託などの運用の基準として採用されている。

非常に有名で影響力のある企業ということだ。

サブプライムより悪質

そのMSCIが2023年3月に行った格下げの一件は、2022年6月から始まった。同月、MSCIはコーポーレートガバナンステーマの取締役会構成キーイシューとして新たに、

・指名委員会の不在
・指名委員会委員長の独立性
・指名委員会の独立性

の3つのキーメトリックを追加したのだ。

これらの点は、取締役会が企業の経営をしっかり監督できるかどうかに関係している。企業の経営方針や仕組みを決める仕組みに関して取締役会のメンバーを選ぶ専門委員会があるかどうか、その委員会の委員長やメンバーが取締役会から独立しているかどうかなどを重視するようになったということだ。

さらにMSCIは2022年11月、「人的資源」という新たなESG課題を導入した。「人的資源」とは従業員の能力や健康、幸福度などを指す概念で、企業の持続的な成長に重要な要素とされている。さらにMSCIは、

・環境リスクに関する評価を強化し、気候変動や水資源の問題などに対する企業の対応を重視
・社会的影響に関する評価を拡大し、人権や労働基準、消費者保護などに関する企業の責任を考慮
・ガバナンスに関する評価を更新し、企業の持続可能性に関する戦略や目標、報告な

どに関する企業の透明性を評価

とESG投資格付けの基準を見直し、変更した。この結果、前述したように2023年3月31日にMSCIは、格付けの見直しを発表。世界中の約3万1000本のESGファンドを格下げした。

最高ランク「AAA」はこの時点で全体の約20％から0・2％程度まで、すなわち100分の1にまで減少するとしている。

MSCIのESGレーティング変更は、本書が刊行される2023年6月から順次実施される予定だ。どれほどの量のESGファンドが格下げされるのかがわかるのは、これからということになる。その結果、ESGファンド市場にどのような影響が出るか、今後の動向に注目が集まっている。

とはいえ、すでにわかっていることは、これではファンドとしてまったく信用できないということだ。

保有者にとっては格下げされたファンドの価格の見直しも必要になってくる。これはサブプライムの格付けよりもある意味、悪質ではないか。サブプライムは曲がりなりにも数字という明確な根拠があったが、こちらはないに等しいからだ。

世界で進む脱ESG投資

当然のことながら信用を失ったファンドからはマネーが逃げ出す可能性が高い。MSCIは世界のESGファンドの「基準」を作ろうとしていて、今後、多くの格付け会社が横並ぶ可能性がある。

続々と「AAA」からESGファンドがこぼれていった先に待つのは崩壊だ。すでに実体経済では、ESGという無謀な試みは否定されている。その試みの影響で未曽有の資源高が発生し、エネルギー不足が起こったからである。

2023年3月16日、イギリスの中央銀行にあたるイングランド銀行の財務部門の責任者であるジョン・フットマン氏がそれまでの方針を180度転換する計画を発表した。気候変動対策への支出を削減し、その分の資金を中核的な業務に振り向けるというのだ。

コスト圧力の高まりが理由だという。

イングランド銀行が機構問題を重視していた理由は、前総裁だったマーク・カーニー氏の方針である部分が大きい。カーニー時代のイングランド銀行は、気候関連リスクについて積極的に発言。世界のほぼすべての主要中銀がベストプラクティスで連携する「気候変動リスク等に係る金融当局ネットワーク（NGFS）」の設立にも貢献している。

その方向性を吹き飛ばしたのがインフレ率だ。イングランド銀行は2％のインフレ率を目標としていたが、5倍超に上昇。気候問題は二の次以下に押しやられることになったのである。

気候変動対策は2024年まで、イングランド銀行が戦略的に優先する7つの業務の中に残る予定だが、すでに予算は縮小している。

脱ESGは民間にも波及している。

2023年3月31日にミュンヘン再保険が、同年4月5日にはチューリッヒ保険が、国連主導のネットゼロ保険同盟（NZIA）から離脱した。

NZIAは、気候変動に対応するために、保険業界の温室効果ガス排出量を2050年までにゼロにすることを目指すグローバルな団体だ。ミュンヘン再保険とチューリッヒ保険はNZIAの創立メンバーだったが、自社の戦略とNZIAの目標との間に乖離があると判断して離脱を決定した。

さらに2023年4月21日にはハノーバー再保険もNZIAから離脱した。これで3社目となるが、今後も逃亡が続く可能性は高い。

バンガードは2021年末時点で、約8兆米ドルの資産を運用するアメリカ第2位の資産運用会社だ。インデックス型投資信託（インデックスファンド）の先駆者としても知られている。

バンガードは、2021年に「2050年までに温室効果ガス排出量のネットゼロを目指す」資産運用機関の国際団体「ネットゼロ・アセット・マネジャーズ・イニシアチブ（NZAM）」加盟。ところが2022年12月に、NZAMの目標に合わないと判断し脱退を発表した。バンガードが運用する資産の8割を占めるインデックスファンドの運用と気候対応重視のNZAMの活動が「Confusion（混乱）」を起こすと説明している。

現実が理想と乖離し、それが埋まらならなくなったということだ。

この「現実と理想」を履き違え、欺瞞としてEU発で世界中のグリーンを牽引してきたのがドイツだ。現在のドイツのエネルギー安全保障の危機的状況を考えればSDGsの未来も自ずと明らかになる。

そこで次章では、ドイツについて解説する。

第4章

明日の日本を今日のドイツにしてはならない

安全よりも安価

グリーン（環境）政策によってロシアがウクライナを侵攻し、ヨーロッパはエネルギー安全保障の在り方を問われることになった。前章で解説したように「理想と現実が乖離した」のである。

資源貧国「日本」にとってエネルギー安全保障は対岸の火事ではない。ＳＤＧｓが何をもたらすのかを知るためにＥＵ、特にドイツのエネルギー安全保障について知る必要がある。

バイデン政権が成立した２０２１年、欧州はアメリカ以上に脱化石燃料に動いていた。当初、うまくいっていたかに見えたが、それはコロナ禍とロックダウンによる経済の停滞で成立していたのに過ぎなかったのが真相だ。

経済活動が再開されたことで、欧州はアメリカ以上の急激なエネルギー不足に見舞われることになった。

化石燃料への投資を禁止し、新規油田開発などの資金を枯渇させる——この影響を強く受けるのは、西側の脱炭素政策を謳う国だけだ。その枠外のロシアは喜色満面で資源開発を進め、エネルギー市場での影響力の拡大を図っていたのである。

特にヨーロッパの化石燃料高騰の主犯として振る舞ったのが脱原発を政策に掲げ、再生可能エネルギーを主要エネルギー源としたドイツだ。

元々、ドイツは反原発の世論が強かった。2011年の東日本大震災での福島第一原発事故を受けて、当時首相だったアンゲラ・メルケル氏が、原発の停止を決める。

その結果、ドイツはエネルギーを他から調達する必要性が高まってしまう。電力に関してはフランスから調達し、火力発電などについてはロシアの天然ガスへの依存度が高まっていったのである。

日本の環境推進派はドイツの「脱原発」を理想モデルのように喧伝するが、そもそも7割がフランスの原発による発電なのだ。自分のところの原発を外に移しただけというのがドイツの「脱原発」の正体である。

ドイツにおける発電の実情を書くと、必ず「ドイツは電力輸出国である」という批判が出る。確かにドイツは電力の輸出超過であることは事実だ。ただし輸出が可能なのは石炭火力発電をベース電源として、再生エネルギーとミックスさせていたからである。

批判派があえてこの事実を隠しているのか、ただの無知なのかはわからない。しかし、そのことは次ページの図『ドイツの「エネルギー源別総発電量」推移』でも明らかだ。

産業大国であるドイツにとって、こうした矛盾を議論するより必須なのは安価なエネルギー調達だった。

2005年にドイツ－ロシア間を結びロシアから直接ドイツにガスを送る北欧ガスパイプライン「ノルド・ストリーム1」をロシアと契約した。

契約を推進したのが当時の首相はゲアハルト・シュレーダー氏だ。

ドイツの「エネルギー源別総発電量」推移

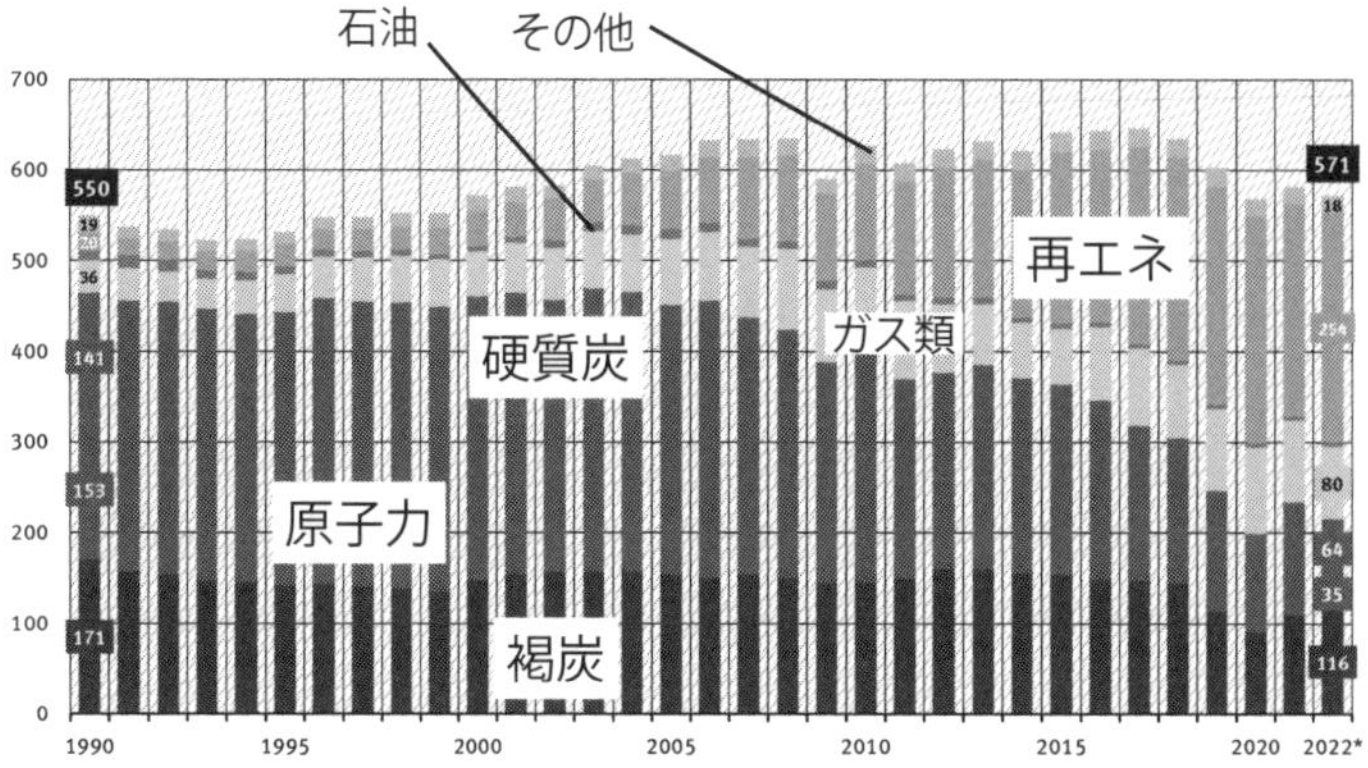

再生可能エネルギー統計作業部会（AGEE-Stat、再生可能エネルギー源）および AG Energiebilanzen による連邦環境庁、エネルギー源別発電量表（2023 年 03 月現在）データを和訳

ヨーロッパをロシアに売った政商

シュレーダー氏とウラジミール・プーチン大統領が知り合ったのは、シュレーダー氏が首相に就任した1998年とされている。プーチン氏は当時、ロシアの連邦保安庁（FSB）長官だったが、両者は戦争で父親を失ったという共通の過去を持つことで急速に距離を縮めた。

シュレーダー氏はプーチン氏との関係を「男の友情」と表現している。

その後、プーチン氏は大統領としてチェチェン紛争やベスラン学校占拠事件に武力で対峙する。そうした強硬姿勢に対して国際社会はプーチン氏に批判的だったが、2004年シュレーダー氏は「純粋な民主主義者」と評している。

プーチン氏の人権侵害やメディア統制に対しても批判を控え続けた。

シュレーダー氏は2005年に首相を退任すると、すぐにロシアとドイツを結ぶ海底ガスパイプライン「ノルド・ストリーム1」の監査委員会の議長に就任した。

ノルド・ストリーム1は2005年に、ロシア国営ガス企業「ガスプロム」の主導で建設が開始され、2011年に完成した。

ところがシュレーダー氏は、ドイツの環境政策推進に関与するよりも、ロシアのエネルギー関連企業との関係を深めることに注力。2006年にガスプロムの子会社である北欧ガスパイプラインの議長に就任し、2017年にはロシアの国営石油会社ロスネフチの取締役に選出された。

さらにロシア政府のロビイストとして、ドイツにロシア産ガスの売り込みを行う。特にノルド・ストリーム1の拡張計画「ノルド・ストリーム2」契約と建設の推進に尽力した。

2019年12月20日、「ノルド・ストリーム2」と同じくロシア産ガスをヨーロッパに送る「トルコストリーム」の建設に関わる船舶および関連取引に対してアメリカが制裁をかける。ロシアによるヨーロッパのエネルギー支配を、アメリカが警戒したことが理由だ。

ところが、このアメリカの制裁に反対し、ドイツ政府や欧州委員会に圧力をかけたのがシュレーダー氏だ。

また、ドイツの社会民主党（SPD）や緑の党などの政党や政治家に影響力を行使し、ノルド・ストリーム2への支持を求めた。さらにドイツや欧州のメディアに登場してノルド・ストリーム2やガスプロムを擁護する発言やインタビューを繰り返したのである。

シュレーダー氏はロシアのエネルギー企業から莫大な報酬を得ていた。総額そのものは公表されていないものの、ロシア国営の石油会社ロスネフチの会長としての報酬だけでも、年間60万ユーロ（約8100万円）を受け取っていることが報じられた。

この薄汚い構図を通じて、ヨーロッパでロシアのプレゼンスを高める中核的役割を果たしてきたのがドイツだ。

考えなければならないのは、日本と欧州のエネルギー調達構造だ。

海に囲まれた日本の場合、石油も天然ガスもタンカーで運び、それをコンビナートなど貯蔵施設で保管し備蓄する、いわば「プロパンガスの構造」である。それに対して、欧州はパイプラインへの依存度が高く、「都市ガス構造」にあるといえる（次ペ

ヨーロッパ　天然ガスパイプラインの敷設状況（2015年）

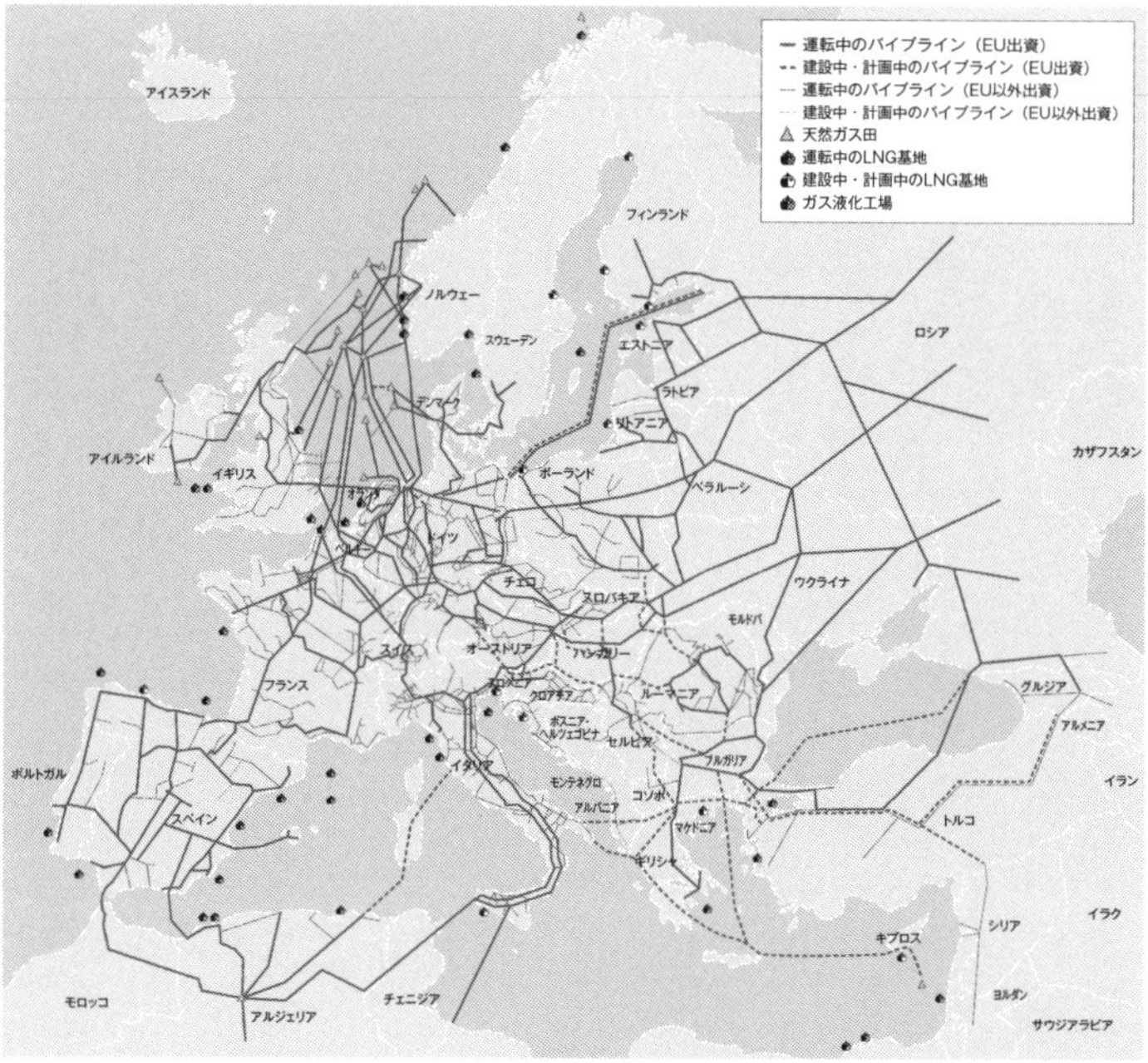

「一般財団法人日本原子力文化財団ＨＰより」

ージ図「ヨーロッパ　天然ガスパイプラインの敷設状況（2015年）」）。

つまりヨーロッパでは元栓が閉まればガスが止まるのだ。ドイツの尽力のおかげで、その元栓をロシアが握ることになった。

その結果、EUはロシアに対して「ノー」と言えない連合体になってしまったのである。

エネルギー価格が戦争を起こす

ロシアが武力行使を実行に移す二つの要素は、原油価格の上昇と、アメリカの外交姿勢にある。というのは資源・エネルギー産出国のロシアは、原油価格上昇によって国力を増強するからだ。

そのことは歴史が実証している。（次ページ図「原油価格・アメリカの外交姿勢とロシアの軍事力行使の関係」参照）一つ目の例が2008年の「南オセチア紛争」だ。

中国など新興国の経済成長に伴うエネルギーの需給バランスの崩壊が発生。そこに

原油価格・アメリカの外交姿勢とロシアの軍事力行使の関係

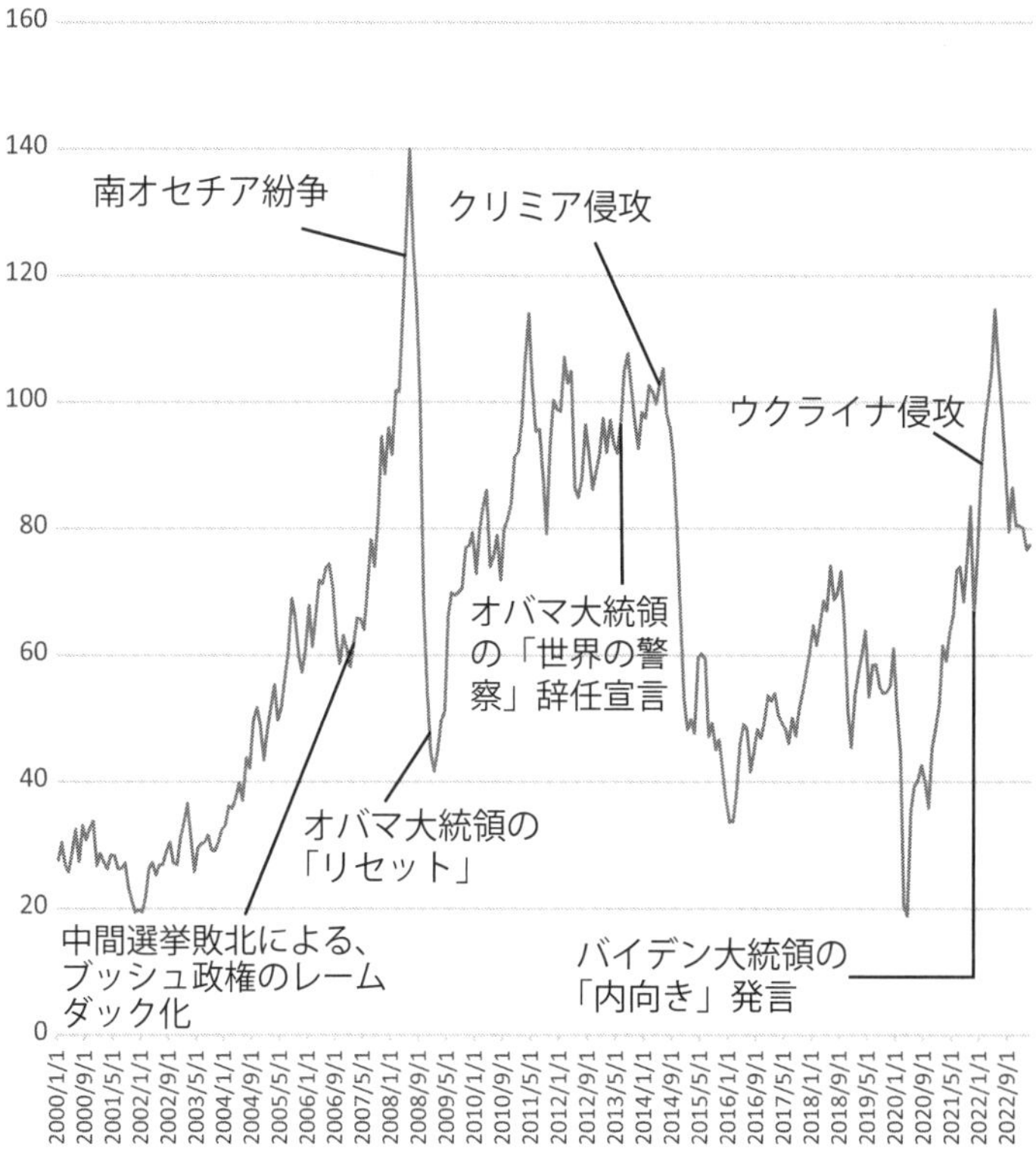

（原油価格はWTI先物指標）

金融緩和が重なって2007年11月、原油価格の指標であるWTIは99ドル／バレルを瞬間的に突破し、史上最高値を付けていた。

この時期、アメリカは別の問題で揺れていた。

アメリカは「イラクが大量破壊兵器を保有している」ことを理由に、2003年にジョージ・W・ブッシュ大統領がイラク戦争開始に踏み切る。ところが大量破壊兵器は発見されなかったばかりか、ねつ造であることが暴露された。イラク戦争の責任を追及され、2006年の中間選挙で共和党が大敗し、ブッシュ政権はレームダック化してしまっていたのだ。

原油高とアメリカの沈黙が併さった結果、2008年、ロシアは21世紀初となるヨーロッパでの戦争、「南オセチア紛争」、別名ロシア・グルジア紛争（グルジアは現在のジョージア）を起こす。

この「南オセチア紛争」によってロシアはジョージアの一部を実効支配することに成功。2008年の南オセチア紛争で、旧ソ連の構成国だったウクライナやグルジア、モルドバはロシアの脅威を察知。そこで、同年にEUとNATOへの加盟を訴えた。

ところが2008年のNATO首脳会議でウクライナやジョージアの加盟に反対したのがドイツのアンゲラ・メルケル首相と、フランスのニコラ・サルコジ大統領（いずれも当時）だ。2人共、ロシアの「力による現状変更」より、「ロシアを刺激したくない」という方向性を選んだ。

その理由は前述したようにロシアがヨーロッパのエネルギー・プレゼンスを握っていたからだ。

EUの盟主であるドイツ、フランスが自分たちに「ノー」と言えないことを知ったロシアは、さらに2014年の「クリミア侵攻」を起こす。

当時のアメリカの政権は、現在のバイデン政権のひな形ともいえるオバマ政権だった。

2013年8月21日、シリア内戦で政府軍による化学兵器使用疑惑が持ち上がる。ところが同年9月10日、当時、大統領だったバラク・オバマ氏は演説でシリア問題に触れて、

「アメリカは世界の警察官ではない」

と高らかに断言してしまう。

このメッセージをチャンスと受け取った国の一つが中国で、南沙諸島へ進出した。もう一つの国がロシアだ。この時にも原油高と外交姿勢がある。

2013年はリーマン・ショックに対する金融緩和の継続によって、世界中にマネーが溢れていた。一方でオバマ政権の軍事費カットによる軍縮の影響は中東にも及び、アラブ社会では2010年から「アラブの春」の革命が連鎖した。

2013年の中東は、前述したシリア内紛、イランの核開発問題、リビアなどの治安悪化が連鎖しカオスとなっていた。この金融緩和とエネルギー生産地である中東のリスク上昇で、2013年末に向けて石油価格が高騰のトレンドに入ったのだ。

こうして資源・エネルギー企業「ロシア」は莫大な富を得た。しかも何をしてもアメリカは介入しないと、大統領が自ら宣言までしてくれたのだ。

この結果、2014年にロシアはクリミアに侵攻した。悲劇は繰り返されることとなったのである。

制裁の裏側で新パイプラインを合意

クリミアに侵攻したことで欧米諸国はロシアに対する経済制裁や国連決議での非難を行った。ドイツも横並びの対応をしたものの、その裏側で進めたのが「ノルド・ストリーム2」の敷設である。

クリミア侵攻の翌2015年5月にドイツ首相のメルケル氏とロシアの大統領、プーチン氏が建設に合意。ドイツは、エネルギー安全保障と気候変動対策を建前にした。裏側にあるのはロシアから安価な天然ガスを輸入することで、自国の産業競争力を高めることである。

一方のロシアはウクライナやポーランドなど、ロシアへの反発を強める旧東欧の中間国を通らずに、直接ドイツに天然ガスを供給することができる。輸送コストを削減しながら、ヨーロッパ全体へのプレゼンスを強めることができるようになるのだ。

2018年7月にドイツ沖で工事が開始され、早期稼働を目指した。2019年にアメリカがロシアに対して制裁を科し、それをシュレーダー氏が擁護していた構図は前述した通りである。

２０２１年6月、ノルド・ストリーム2の第1ラインが完成、同年9月にはノルド・ストリーム2の第2ラインが完成した。

２０２１年11月16日、メルケル氏の退任直前にドイツ規制当局は、「ノルド・ストリーム2」稼働に必要な承認手続きを一時停止すると発表した。

ノルド・ストリーム2を運営するのはスイスを拠点としたコンソーシアム（共同事業体）だった。そのコンソーシアムは、ロシアのガスプロム、ドイツのウィンターシャル・デアとユニパー、オランダのロイヤル・ダッチ・シェル（現・イギリスのシェル）、フランスのエンジー、オーストリアのＯＭＶの計6社が参加。これらの企業は、ノルド・ストリーム2の建設費用の一部を負担している。

ドイツの法律ではノルド・ストリーム2が操業許可を得るためには、まずドイツ国内に子会社を設立する必要がある。すでにヨーロッパは脱コロナで経済活動を再開。需給バランスの崩壊によってガス価格が高騰していた。これを受け、欧州のガス価格は一時12%高となっている。

最後までロシアを信じたドイツ

2021年12月8日、メルケル氏の16年に及ぶ長期政権が終わった。誕生したのはドイツ社会民主党のオーラフ・ショルツ政権だ。当時、ロシアはウクライナとの国境周辺に部隊を集結しており、ウクライナ侵攻の実施への疑念がアメリカとイギリスを中心に繰り返されている。ところがドイツとフランスは侵攻の瞬間まで、ロシアによるウクライナ侵攻を信じなかった。

ウクライナ侵攻を前にロシアはエネルギーを軸にドイツ、そしてヨーロッパを揺さぶり続ける。

再生エネルギーをベース電源にしようとしているドイツだが、頼りの太陽、風力発電は極めて不安定だ。2021年12月下旬にかけて、ドイツでは、5週間ぶりに風力発電の低水準供給が発生した。

そのタイミングを狙ったのかのように、ロシア産ガスを欧州へ送る主要パイプラインの一つ、「ヤマル・ヨーロッパ」のドイツに向かう流れが2021年12月18日から減少。同月21日未明に停止したのである。

この影響によってヨーロッパの天然ガス価格は一段高値を付けることになった。当然のことながらドイツや欧州各国は備蓄したエネルギーを使うことになり、喫緊の有事に耐えられるのかという防衛安全保障リスクの問題まで浮上するようになったのである。

世界全体はグリーン化の推進で化石燃料投資が減少し、従来型エネルギーの供給余力が減少している。そのことが逆にロシアやイランなどのエネルギー生産国のプレゼンスを高めることになっているのだ。

「ヤマル・ヨーロッパ」のガス停止について、ウクライナ問題を巡るロシアと西側諸国の緊張や、ドイツがノルド・ストリーム2の承認を一時停止したことへの報復だと見られているが、ロシア側は政治的意図を否定している。しかし、中学生でもロシア側の言葉を鵜呑みにはしないだろう。

ドイツがノルド・ストリーム2の計画停止を発表したのは、2022年2月22日のことだった。その前日、プーチン大統領がウクライナ東部の親ロシア派武装勢力「ドネツク人民共和国」と「ルガンスク人民共和国」を承認したことに対する制裁である。

さらに翌日の同月23日には、バイデン氏が「ノルド・ストリーム2」計画の事業会社「ノルド・ストリーム2AG」と、その役員に対して制裁を科すことを指示したと公表。

しかし2022年2月24日、ロシアは躊躇することなくウクライナへの侵攻を開始した。

ロシアを失えば、ヨーロッパはエネルギーを確保できない――ロシアがヨーロッパの「エネルギー」プレゼンスを握ったことが、プーチン氏がウクライナに侵攻した動機の一つであることは間違いない。

この事実は、資源を持たない日本にとって大きな教訓を与えてくれている。コストだけを重要視してエネルギー供給源を多様化しなければ、どのような事態に陥るかを理解しなければならない。

プーチンの誤算

ウクライナ侵攻に対する制裁は織り込み済みだったプーチン氏が特に期待したのは、エネルギー安全保障でドツボにハマったドイツの弱腰対応だったはずだ。

ロシアとしては、西側の制裁発動があったとしても、ドイツが腰砕けになるばかりか、制裁発動の中止を求めることさえ期待していたことは疑いようがない。

ウクライナに侵攻した現実がその証左である。

こうした事態が予測されるからこそ、アメリカやイギリスは「ノルド・ストリーム2」に反対し、ロシアへのエネルギー依存度が高くなることを警告してきたのだ。

ウクライナ侵攻直前、ドイツはロシアの期待に応えていた。周辺国がウクライナへの軍事支援を行う一方、2022年1月26日にドイツはウクライナに対して武器供与を拒否して、ヘルメット5000個を供与することを発表。

世界中から失笑され、失望されることとなったのだ。

ロシアの掌の上で意を汲んで動くかに見えたドイツだが、その態度が一変するきっかけとなったのは、2022年2月25日のことだった。ロシア外務省の報道官、マリア・ザハロワ外務省情報局長が会見で、

「フィンランドとスウェーデンがNATOに加盟しようとする動きを見せ、ロシアの安保を脅かす行為をしている。実際に加盟すれば有害な結果を招く恐れがあり、軍事・政治的に深刻な結果に直面するだろう」

と、示唆したのだ。

EU諸国にとってリアルな脅威が突きつけられたことになる。そこで政策を180度転換したのがドイツだ。

2022年2月26日、ドイツ政府はウクライナへの武器供与を決定。さらに翌27日にはショルツ首相が独連邦議会で国防費をGDP（国内総生産）2％以上へと大幅に引き上げる方針を発表した。

これまでのほぼ倍の増額だ。

エネルギー・プレゼンスを握られて身動きが取れないはずのドイツが反転攻勢に転

じたことは、プーチン氏にとって最大の誤算の一つだったといえるだろう。さらにヨーロッパは反プーチンへと向けて結束し、各国の在り方さえ変えようとする動きが起こった。

欧州結束の裏側の原動力になったのが欧州圏内の王室につらなる人脈だという話がある。

日本ではあまり知られていないが、ヨーロッパでは王室同士で外交が行われている。日本が欧州で尊重されるのは、天皇家が欧州の王室と長く関係し続けたことも大きい。ロシアに名指しされたスウェーデンは王室を持っており、ロシアの発言に欧州各国の王室が激怒したという構図だ。

フィンランドは第二次世界大戦中、ソ連と2度にわたって戦争を行った。ソ連の侵入から始まったのにもかかわらず、領土の約1割をソ連に割譲させられたばかりか、賠償金まで取られることとなったのだ。

1989年の米ソ冷戦終結後、ヨーロッパを支配したのがグローバリズムという「イズム」(理念)だ。1993年のマーストリヒト条約の発効によってヨーロッパ各国は「ＥＵ」という「ヨーロッパ人」の共同体を形成した。域内で「ヒト・モノ・カネ」の移動の自由を認めることになる。

ソ連の脅威に対抗するためにできたＮＡＴＯ（北大西洋条約機構）は、「ヨーロッパ人」の防衛安全保障機構へと役割を変えた。そのＮＡＴＯには加盟せずに中立を守ったのがフィンランドやスウェーデンだ。

フィンランドは１９１７年にロシア帝国から独立し、第二次世界大戦ではソ連と戦争を行う。約１３００キロにわたりソ連と直接国境を接していることから、冷戦時代は経済関係は西側に立ちながら、中立を維持してきた。スウェーデンが初めて中立を宣言したのは、１８３４年のことだ。その後、あらゆる戦争でも中立を貫いてきた。

両国共に２０２２年5月にＮＡＴＯ加盟を申請した。

フィンランド、スウェーデン両国の加盟は、全ＮＡＴＯ加盟国の批准が必要となる。２０２３年6月時点でフィンランドは批准を得た。ところがトルコとハンガリーがスウェーデンの批准に難色を示している。

ＥＵにとって「法の支配の順守」は非常に重要な価値観だ。ハンガリー与党、オルバン政権はEUでも筋金入りの親ロ派で、スウェーデンと「法の支配」を巡って対立している。

またトルコは自国内でクルド人との対立問題を抱えている。一方でスウェーデンは歴史的に迫害された人たちの受け入れ先になってきた。トルコ政府が「テロリスト」と認定した人たちを、スウェーデン政府が引き受けてきたことから両国は対立。

スウェーデン側が大幅譲歩し身柄引き渡しなどに応じたものの、要求をエスカレートするトルコ政府との溝は埋まっていない。

ウクライナ侵攻は海に守られている日本と、地続きのヨーロッパでは「安全保障」に対する姿勢の違いを浮き彫りにさせられたということである。

EVシフト後退の裏にある自国優先のエゴ

あたかも「地球全体を考える」ように見せている脱炭素政策は、ヨーロッパのエゴと偽善の側面から出発している。ヨーロッパが極端なグリーン政策に向かうきっかけになったのは、2015年9月18日に、EPA（アメリカの環境保護局）により、発覚したVW（フォルクスワーゲン）の排ガス検査不正だ。

当時、ヨーロッパ自動車業界はクリーンディーゼル技術で、世界の自動車市場に勝負を仕掛けていた。ところが環境技術で世界をリードしていると思われていたVWが規制逃れをしていたことが露見する。この詐欺行為は驚きを持って受け取られた。

ディーゼル不正が露見したことで欧州車の技術的有意性が消滅して以降、ヨーロッパは激しい化石燃料叩きを始めたのである。欧米は厳しい排ガス規制をメーカーに強要してくるが、自国の自動車メーカーはその規制をクリアできない。厳格な排ガス規制をクリアする日本車をどうにか追い落としたい。

日本車に勝つためには内燃機関そのものを否定すれば済むということで、ヨーロッパが次の目玉として掲げたのがEVシフトだった。

2021年7月14日、欧州委員会は「2030年の温室効果ガス削減目標、1990年比で少なくとも55％削減を達成するための政策パッケージ」、通称「Fit for 55」を発表した。

この「Ｆｉｔ　ｆｏｒ　55」には、ＥＵ排出量取引制度（ＥＵ　ＥＴＳ）の改正案や再生可能エネルギー指令の改正案など、13の法案が含まれる。その一つが、２０３５年までにＥＵ内でガソリンやディーゼルなどの化石燃料を使用する新車の販売を禁止しゼロエミッション車のみにするという提案が盛り込まれていたのである。

ゼロエミッション車には電気自動車（ＥＶ）と燃料電池車（ＦＣＶ）などが含まれる。しかしＥＵが目指しているのはＥＶシフトだった。この２０３５年ＥＶシフト法案は２０２２年10月に欧州委員会、欧州議会、閣僚理事会の三者間で最終合意に達し、２０２３年２月14日に立法機関である欧州議会で採択された。

ところが同年３月３日にドイツのフォルカー・ウィッシング運輸・デジタル相が、「合成燃料の新車販売が認められない限り、ドイツは35年以降の内燃機関の新車販売の禁止を含むＥＵ法案に合意しない」

と、拒否権の行使を宣言したのである。

内燃機関と雇用問題

合成燃料は「e－fuel」と呼ばれている。再生可能資源由来の電気エネルギーを用いて作られた合成燃料で、大気から回収したCO2と水から得た水素を合成するものや、バイオマスから合成するものなどがある。

EVシフト法案が成立するEUエネルギー閣僚理事会直前に、ドイツはゼロエミッション車に「e－fuel」のみで走行する内燃機関車を含めろ、と詰め寄ってきたということだ。

ドイツが拒否権行使まで踏み込んで、EVシフト後退を働きかけたのは、自国産業の保護のためである。

ドイツの自動車産業は裾野まで含めると160万人の雇用を抱えている。ところが2020年1月政府諮問機関である「ドイツ経済専門家評議会（SVR）」が、EV化推進による雇用消失リスクと対応策を提言する報告書を発表した。

EVシフトが進めば30万人の雇用が2030年までに失われる可能性があるという試算結果が報告された。また、EVとその部品の多くを輸入に依存すると仮定するシナリオでは、2030年にドイツ全体で最大41万人の雇用が喪失するとした。

最先端のように見えるEV車だが、構造自体はラジコンカーと変わらない。このことはもちろん日本の基幹産業である自動車産業にも当てはまる。

2023年3月27日、EUは、二酸化炭素の排出が実質ゼロとされる合成燃料の使用を条件に内燃機関の販売の継続を認めることでドイツと合意した。

EUの化石燃料叩きを牽引してきたドイツが、自国産業保護のためにEVシフトを後退させたのだ。グリーンがいかにエゴと偽善に満ちているのかを示す、好例といえるだろう。

しかも電気自動車の需要が急増すると、充電式バッテリーの重要な材料で「リチウム」の供給が不足する可能性が指摘されている。

国際エネルギー機関（IEA）によると、電気自動車販売台数は2021年には前年の300万台から660万台に跳ね上がり、市場の9％を占めるまでになってしまった。一方で、リチウムの生産は需要に追いついておらず、価格は1年で約5倍も上昇した。

またリチウムの採掘や精製、輸送などのプロセスには、多くの課題がある。

リチウムは主に塩湖や鉱石から採掘されるのだが、どちらも大量の水やエネルギーを消費し、環境負荷が極めて高い。さらにリチウムの精製は、塩湖からは蒸発や化学処理、鉱石からは焼成や浸出などの工程を経て行われる。どちらも高温や高圧や有害物質を必要とし、コストや環境負荷が高い。

何よりリチウムは可燃性で、爆発するリスクがある不安定な物質だ。

ヒュンダイは2021年2月に、火災のリスクがあるとして約8万2000台のEVのバッテリーを交換すると発表した。対象となったのは、2018年から2020年にかけて販売されたコナEVと、2019年から2020年にかけて販売されたエレクトリック・シティバスなどである。

ヒュンダイは、これらの車両のオーナーに対して、駐車時に他の車両や建物から約15メートル離れた場所に停めるように推奨しているのだ。

リチウムは可燃性、爆発性があるのでEVが近くにあると連鎖爆発を起こす危険性がある。隣り合わせに駐車さえできない車なのだ。

このため、二つの保険問題が起こっている。一つは事故の保険料率、もう一つが車両保険の問題だ。前者は事故が発生した場合、爆発リスクが非常に大きいからである。後者は小さな事故でも電池交換が必要になるケースが多いからだ。

EVは構造が単純なため自動車メーカー以外からの参入が中心で、従来の自動車と安全設計が異なる。そこで全損扱いになり易いのだ。

電気自動車の代表格であるテスラはアルミボディのため、10㎝程度のへこみでもボディの取り換えが必要になる。新車価格の7割程度の修理費が請求されたなどの問題が出始めている。

これらのリスクが適切に保険料金に反映されてくれれば、高い保険料からそれを回避する消費者が急増するといわれている。すでに新エネルギー車の平均保険料は新エネルギー車以外の自動車より21％高いというデータもある。

また、温度変化に弱く、低温では電力消費が急増し、ガソリンのように携帯タンクでの給油ができないため、立ち往生による道路遮断が大きなリスクとなっている。

しかも立ち往生した場合、ガソリン車であれば、エンジンを動かしていれば暖をとれ、救援隊による携帯タンクで給油も可能だ。ところが電気自動車ではできない。

今後EVが増えれば増えるほど、この問題が発生する可能性が高くなる。

根拠不明な反原発文化

2022年2月2日、欧州委員会は脱炭素社会の実現に向けて、原子力発電を地球温暖化対策に役立つエネルギー源だと位置づけると正式に決定した。

この意見に真っ向から反対しているのがドイツだ。

2011年には東日本大震災の福島第一原発事故を受けて、メルケル政権は2022年末までの脱原発を決定。ところが脱コロナ禍によるエネルギー需給バランス崩壊を原因とした資源・エネルギーの高騰に加えて、ロシアがウクライナを侵攻する。ドイツ国内の原子炉3基を停止したのは、2023年4月15日のことである。

ドイツの反原発運動は1970年代に、環境保護や平和主義を訴える市民運動が盛んになり原子力発電所の建設に反対するデモや座り込みが行われたところから始まる。1979年にはアメリカでスリーマイル島原発事故が発生。その影響で1980年には、反原発運動から生まれた緑の党が結党され連立政権に参加したり、野党として影響力を持った。

原子力爆弾の被害国である日本で放射能に対するアレルギーが極度に強くなる理由はまだ理解できるだろう。ところがドイツは被爆国でも何でもない。ようやく放射能の被害を受けたのは1986年のことだ。チェルノブイリ原発事故で国内でも放射能汚染が確認された。その影響も壊滅的なものではないのにもかかわらず、反原発運動はさらに拡大する。

2000年には社会民主党と緑の党の連立政権が原発の段階的廃止を決定。福島第一原発事故によりメルケル氏が、段階的廃止を前倒ししたのである。

どう整理してもドイツが反原発に向かう科学的根拠が見当たらない。隣国フランスは原発をベース電源として、現在でも新規原発建設を進めているのだ。

文化としか呼びようがない。

しかもドイツは、1960年代の冷戦構造下で西ドイツは東側諸国との緊張が高まる中、自国の安全保障を確保するために核兵器の保有を求めた。

ところがNATOは核拡散防止条約（NPT）に基づいてそれを拒否。その代わりに、NATOは核兵器共有という仕組みを提案し、西ドイツはそれに同意する。

この核共有（ニュークリア・シェアリング）によって、アメリカが自国の核兵器を西ドイツなどの同盟国に提供。それらの国は非核兵器国としてNPTに加盟したまま事実上核武装することができているのである。

平和利用としての発電用の「核」は否定して、安全保障のための大量破壊兵器の「核」は受け入れる――まさに巨大な矛盾だ。

COP26とは何だったのか

コロナ禍終焉による経済活動再開による需給バランスの崩壊で、世界の資源・エネルギー価格が急騰。ロシアというエネルギー供給源を失ったドイツは、突貫工事でエネルギー供給構造を変更した。というのはパイプラインに依存し続けた結果、驚くべきことにドイツにはLNG（液化天然ガス）の気化施設を持っていない状態になっていたのだ。

さらに船による輸入設備、備蓄基地も存在しなかった。そこで2022年5月5日、ドイツは液化天然ガスの輸入拠点建設を開始。同日にはLNGの洋上貯蔵設備4基をリースすることを決定したのである。この「国内初のLNG基地」は2022年11月15日に完成し、同年12月17日に正式に開業した。

まさに、お粗末としかいいようがない。

ドイツはEU全体の貯蔵可能量の25％程度に相当する240億立方メートルの天然ガスを貯蔵する能力がある。ドイツの暖房器具の約50％でガスが使用されているが、10月初旬に使用開始となる。

例年であれば10月時点の貯蔵率は95％以上だ。しかし2021年10月の貯蔵率は3分の2未満となっていた。というのも国内のガス貯蔵施設のうち実に20〜25％を保有しているのがロシア国営ガス会社のガスプロムだからだ。ガスプロム保有の施設では、2021年にほとんど充填されなかったのである。

しかも2022年7月19日にフランスは「フランス電力（EDF）」の完全国有化を発表した。再エネの発電量が足りない時、ドイツはフランスから電気を買っている。このことでフランスにもエネルギー・プレゼンスを握られることになったのである。

このようにエネルギー危機に襲われながらドイツは脱炭素政策を捨てきれない。そこでドイツはあろうことか2022年6月、石炭火力発電の稼働を増やし、産業界にガス節約を促す新たな仕組みを導入することを発表したのだ。

2020年、ドイツは石炭火力フェーズアウト（段階的廃止）完了目標を2038年と定め、再生可能エネルギーの割合を2030年までに65％にするとしていた。ところが2021年11月24日、石炭火力発電のフェーズアウト完了時期を2030年に前倒しすることに合意。

計画を8年前倒しにしてしまったのである。

エネルギーの不足の現実を突きつけられたドイツは2022年6月に、石炭火力発電の利用を増やすことを決断する。産業界にガス節約を促す新たな仕組みも導入した。家庭の暖房需要が高まる冬に向けてガスの貯蔵を確保するための措置だ。

2022年9月には、褐炭・石炭による発電量の構成比が31・3%となり、前年同期比で23・5%も増加した。

ドイツは、2020年までに二酸化炭素排出量を1990年比で40%削減するという目標を達成しており、石炭火力発電所を廃止する方針は2023年現在まで放棄していない。

石炭火力発電の原料である褐炭はドイツ国内で自給することができる。ノルトライン=ヴェストファーレン州にはハンバッハ鉱山という大型の露天採掘鉱山があり、年間約4000万トンの褐炭を産出するほどだ。

ドイツは2022年までに褐炭の発電利用を段階的に削減する方針を打ち出しているものの、鉱山の即時閉鎖に反対する抗議活動がある。

この石炭発電再開の動きはヨーロッパ全体で起こっていて、古い発電設備を再開させたり、ガスタービン発電設備を石炭が使えるようにする改造まで行っている。

2022年6月15日、バイデン大統領は、ガソリン価格の高騰に対応するために、石油メジャー7社に対して、生産量を増やすように要請、2022年7月16日、17日には、中東の産油国の首脳らと会談し、原油の増産を呼びかけた。

一気に政策の転換を始まっているのである。

2021年10月にイギリスで開催されたCOP26（国連気候変動枠組条約第26回締約国会議）に岸田文雄総理が出席。化石燃料を使う火力発電停止を明言しなかったことで、特にリベラルメディアは「石炭火力発電」にスポットをあてて、岸田総理を批判した。

この欧米の動きを見ると、そもそも論としてCOP26の議論は何だったのかという話である。

だが日本の石炭火力発電装置は世界トップクラスで環境負荷が小さい。実はここに日本の活路がある。次章ではSDGsバブル崩壊後の日本のあるべき姿を解説していきたい。

第5章

持続可能社会の実現のための脱・脱化石燃料

エネルギーと政治

ドイツの電気代と日本の電気代をアメリカドルベースで比較する。

2021年6月時点で、ドイツの家庭用電気代は0・48米ドル／kWhに対して、日本の家庭用電気代は0・254米ドル／kWhとなっていた。しかも2022年にドイツの電気代は17％以上も上昇したのである。

ドイツの産業用電力料金は、日本の約2・4〜2・8倍となっていた。グリーン政策に固執した結果、ドイツの電気代は高止まりしている。

歴史上初めてアンモニアの合成に成功するなどドイツは伝統的に「化学」に強い。この電気代の高騰は、エネルギーを大量に使用する化学産業に大きな打撃を与えている。2022年6月にドイツの化学業界団体VCIが行った調査では、34％の回答者が減産せざるを得なかったと回答した。

BASFなどの世界的に有名なドイツの大手化学企業は、電気代の安い国に生産拠点を移すことを検討している。

ドイツがエネルギー安全保障に失敗している理由は、エネルギー政策に統一性がないという側面が強い。

当然のことながら人間は食料とエネルギーがなければ生命を維持できない。国民の生命を守るという意味で、エネルギー安全保障は国家の義務だ。ゆえに政治とエネルギー安全保障は深く関係している。

2021年12月8日に発足したショルツ政権は社会民主党（SPD）、緑の党、自由民主党（FDP）の三党連立だ。これはドイツで初めての3党連立政権で、党のイメージカラーは社会民主党が「赤」、自由民主党が「黄」、緑の党が「緑」ということで「信号連立」とも呼ばれている。

ドイツの反原発運動が1970年代に始まったことは前述した。この反原発運動を母体にして誕生したのが、連立の一角「緑の党」だ。

日本の環境推進派は「ドイツ＝反原発で統一」という情報を発信するが、これはまったくのウソだ。

2022年には、野党のキリスト教民主同盟（CDU）が原発の廃止を撤回するよう要求。2023年4月にドイツが最後の原発を閉鎖した時に、YouGovが世論調査を実施。それに65％が「現在の原発を稼働させ続けることに賛成」した。その一方で原発の無期限維持への賛成は、たった33％に留まった。

将来的な原発の停止は大多数が賛成したものの、あまりにも高いエネルギー代に原発の即時停止には反対したということだ。

ドイツの原発は1956年のカールスルーエ原子力研究センターから、最大17基が稼働していた。最後に建設されたのは1989年のネッカーヴェストハイム原子力発電所だ。

当然のことながら大多数が老朽化している。原発の事故リスクが上がるのは稼働中ではなく停止→再稼働だ。最後の3基も老朽化している上、それを停止して再稼働することは技術的にも難しいということになる。

石炭火力発電の大規模復活

エネルギー安全保障政策でどん詰まりに追い込まれたドイツが頼ったのが、石炭火力発電だ。

前述したように石炭火力発電の原料である褐炭はドイツ国内の露天採掘鉱山で年間約4000万トンを産出できる。露天採掘とは坑道などを掘らずに、ショベルカーなどで地面を掘るだけで採掘できる鉱床のことだ。

したがって採掘コストが極めて安い。掘って埋めて植林をすれば環境に負荷をかけずに済む。唯一の難点は褐炭が燃焼時に大量のCO2を排出する点だ。

ドイツではCO2は「毒ガス」の扱いなのだが、背に腹は代えられない。

2022年6月にドイツは発電用のガスを減らして石炭火力発電の稼働を拡大させる法整備を進めていることを明らかにした。2038年までに石炭火力の廃止を目指していた計画を見直す可能性さえ出てきたのである。

その後、他の欧州諸国も同様に石炭火力発電所の利用を増やした。この動きによって、2023年に過去最高の石炭消費量に達する可能性があると国際エネルギー機関（IEA）が予測している。

エネルギー源を石炭にシフトせざるを得ないのは「貯蓄」の問題も大きく影響している。原油は燃料にするまで精製プロセスが必要だ。しかも精製後は揮発するので、長期保存できない。さらに揮発しやすい天然ガスに至っては、日本でも備蓄有効期間が非常に短く、40日程度といわれている。

こうした化石燃料に比べて石炭は気化しにくい。天然ガスの運搬には「ソラマメ」と呼ばれる特殊なタンカーが必要だが、石炭は、普通のコンテナで運ぶことができる。冷静に考えれば化石燃料は億年単位で地球が作った一種の再生可能エネルギーだ。カーボンニュートラルの未来を作ろうとしたら、純粋なカーボン（石炭）に行き着いたのは皮肉な話である。

逆にいえば欧米はこれまでエネルギー安全保障を考えずに国家を維持することができたということだ。資源貧国日本は何重にもエネルギー安全保障を構築しなければならなかった。そうして蓄積があるので、現在のエネルギー危機の影響も比較的受けずに済んでいるのである。

問題は石炭火力発電がCO2だけではなく有毒物質を放出してしまう点だ。EUはCO2排出量を減らしたい、しかし石炭に頼らざるを得ない――この相反する要求を埋める技術を持った国がある。

それが日本だ。

皆さんは「クリーン・コール・テクノロジー」という言葉をご存じだろうか。石炭を燃やした時に発生する有害物質をさまざまな方法で取り除き、かつ効率的に使うという地球環境に配慮した技術のことである。

石炭は、安定供給や経済性の面で優れたエネルギー源だ。ほかの化石燃料に比べて採掘できる年数が長い。また、存在している地域も分散しているため、サプライチェーンの一極集中のリスクを避けることができる（次ページ上図「石炭の可採年数と地域別埋蔵量」参照）。

何より原油やLNGに比べて価格は低めで安定している（次ページ下図「燃料価格

石炭の可採年数と地域別埋蔵量

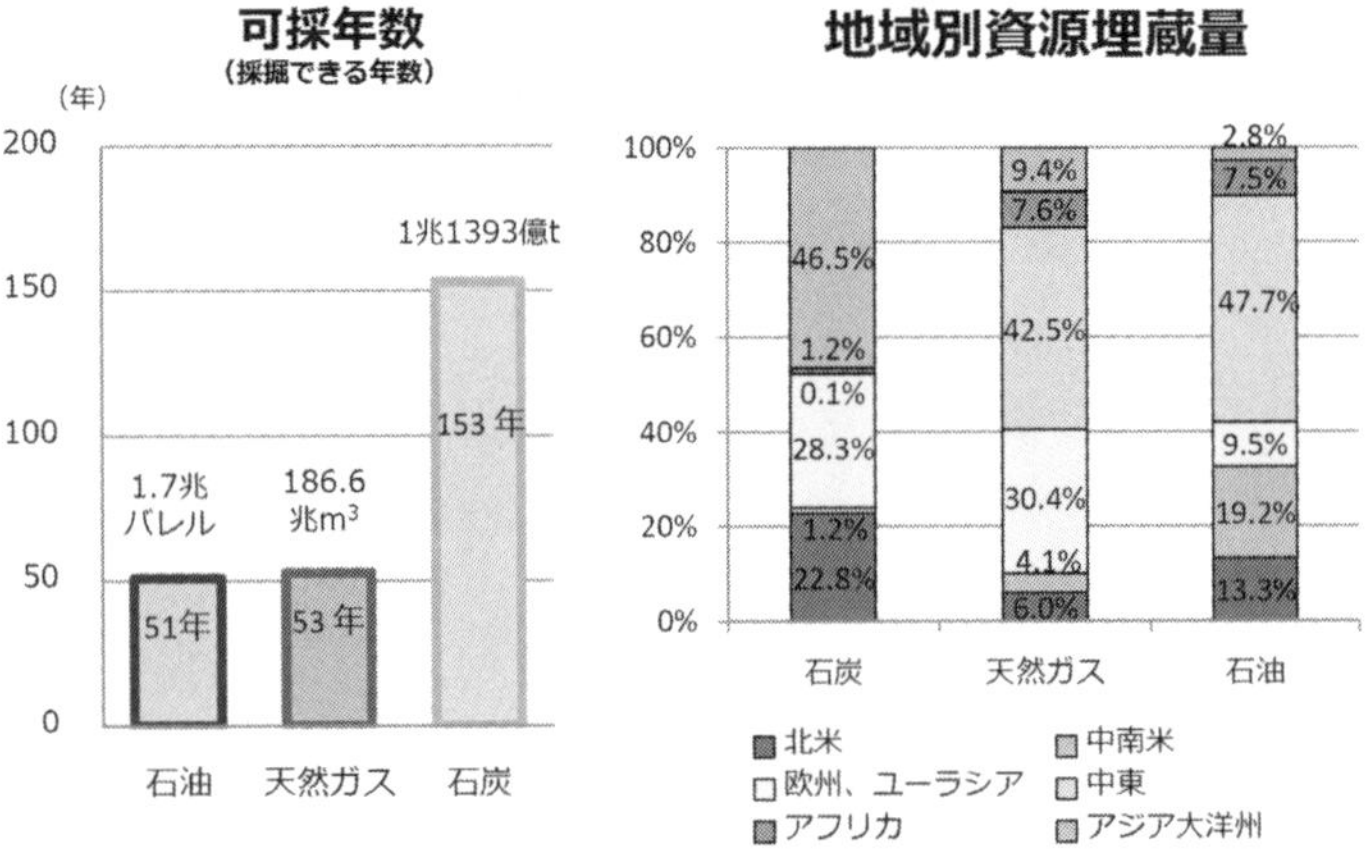

燃料価格(CIF)の推移

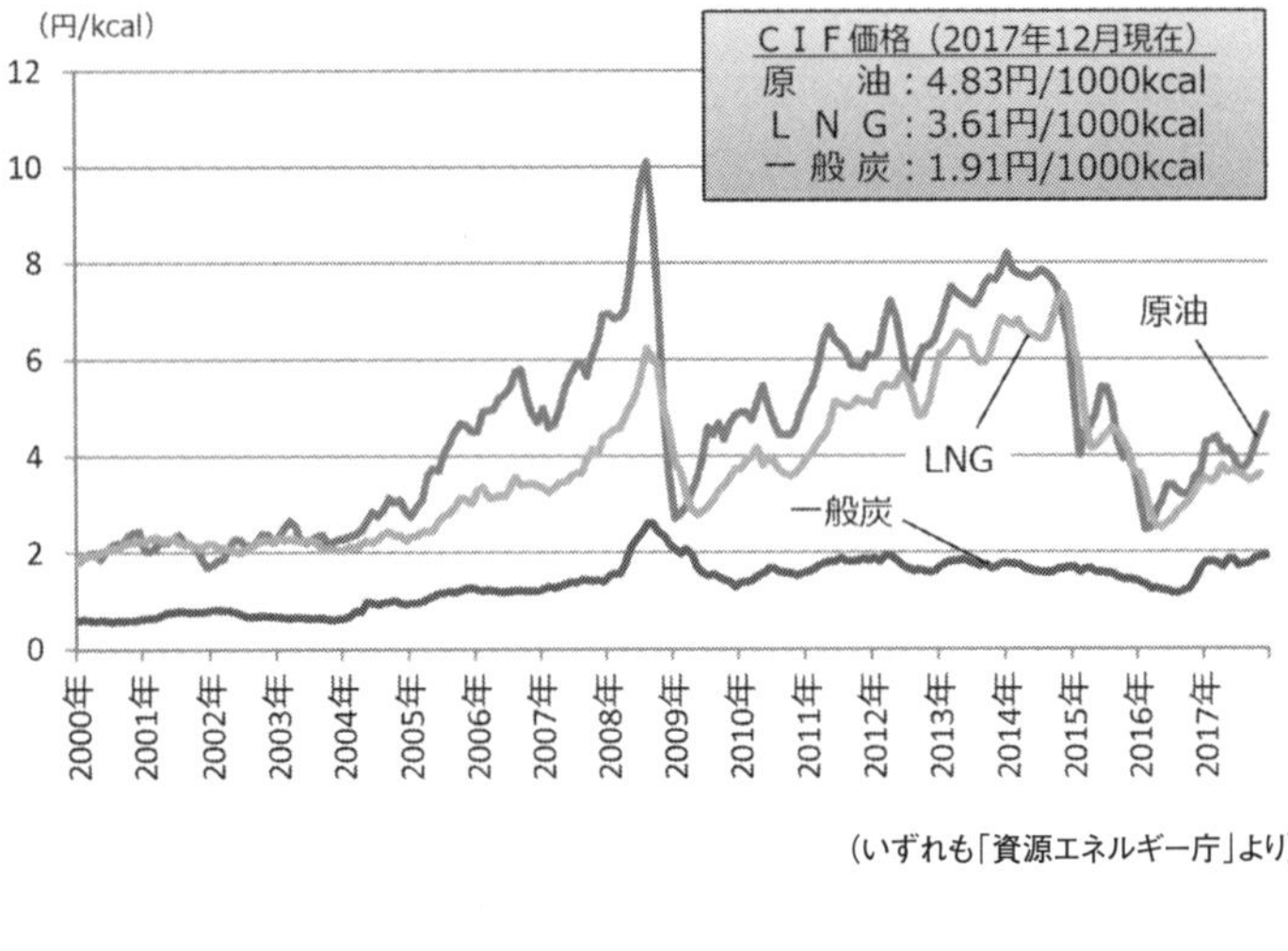

(いずれも「資源エネルギー庁」より)

（ＣＩＦ）の推移」）。捕捉するとＣＩＦとは、「Cost, Insurance and Freight」の略で、「輸入燃料の価格」を表す。エネルギーを輸入に頼る日本では輸送による運賃や保険料、為替変動を組み込んだ価格、すなわちＣＩＦが実質的な燃料価格となる。

石炭のＣＩＦは他の化石燃料に比べて格段に安価なので、ＬＮＧ火力発電よりも、低い燃料費で発電できるのだ。

次世代型「石炭火力発電」技術の正体

優れたエネルギー源である石炭を、資源貧国の日本は長く使用してきた。「クリーンコール技術」も同時に研究、開発されてきた。日本は石炭火力発電システムの先端技術国なのだ。

「クリーンコール技術」とは、石炭を燃やした時に発生する二酸化炭素（ＣＯ2）や硫黄酸化物（ＳＯｘ）や窒素酸化物（ＮＯｘ）などの有害物質を減少させる技術のこと。石炭の利用に伴う環境負荷を低減する技術には前処理技術、高効率化技術、後処理技術に分類される。

具体的には石炭の液化・ガス化、脱硫・脱硝装置、集塵装置などを「クリーンコール技術」で開発してきた。

石炭の液化・ガス化とは、固体燃料である石炭を灰分、硫黄分を除去したクリーンで取り扱い易い液体燃料または気体燃料に転換することである。

脱硫・脱硝装置とは、発電所や工場ボイラーから排出される硫黄酸化物や窒素酸化物などの有害物質を除去する装置だ。

集塵装置とは、工場や発電所などで発生する粉塵やダストを回収する装置のことだ。

一連のクリーンコール技術の中核にして最も重要な技術が、高効率石炭火力発電技術である。

高効率石炭火力発電技術とは液化・ガス化した石炭を燃焼させて発電する際に、発電効率を向上させる技術のことだ。当然のことながら発電効率が高いほど、CO_2排出量や燃料費を減らすことができる。

高効率石炭火力発電技術には、超々臨界圧発電（USC）や石炭ガス化複合発電（I

三隅発電所1号機（島根）の仕組み

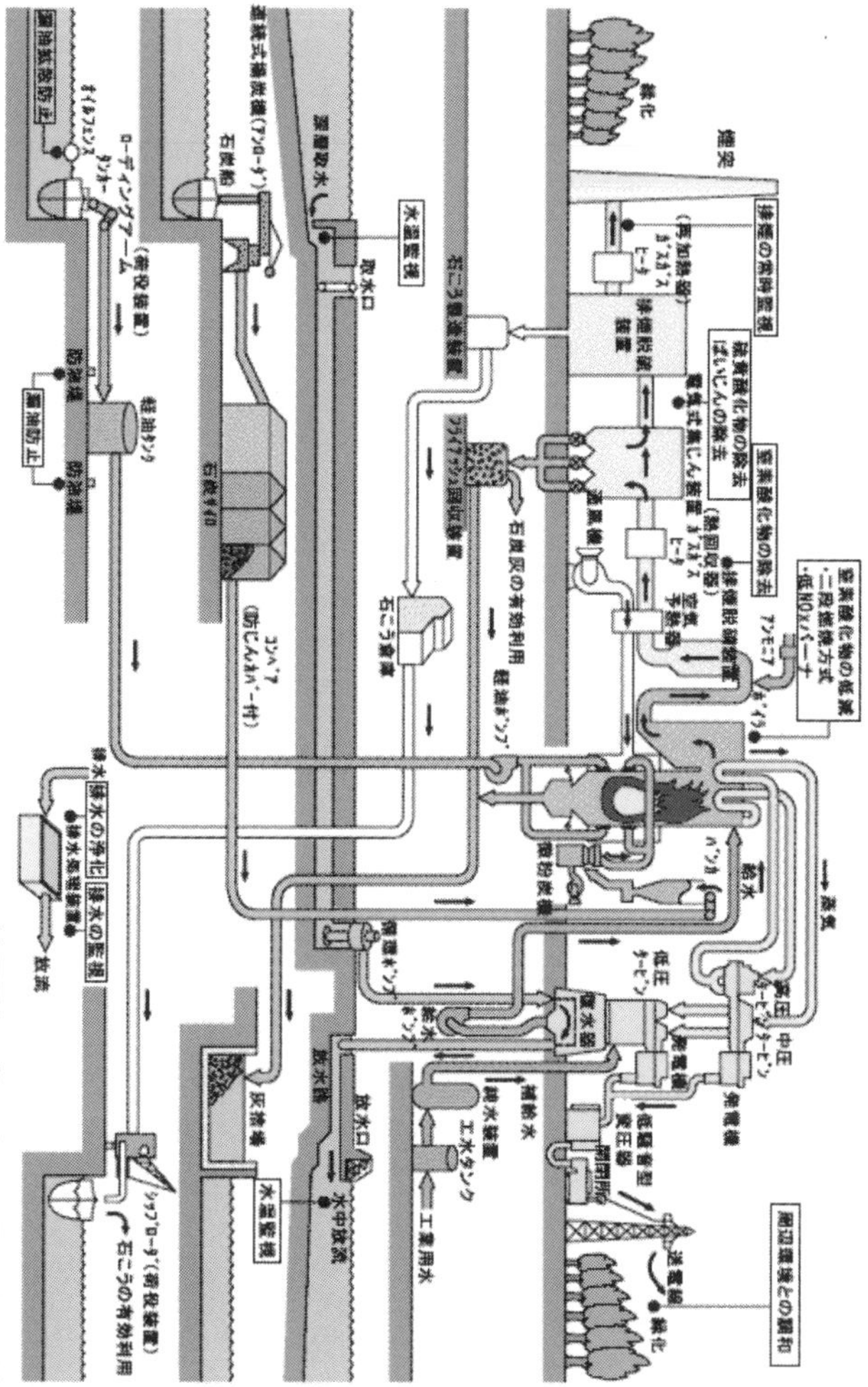

（中国電力HP「超々臨界圧発電方式（USC）」より）

GCC）などがある。

USCは石炭を燃焼させて作る蒸気を、従来よりもさらに高温、高圧にして発電する方式だ。蒸気の温度は600℃以上、圧力は25MPa以上にすることで、発電効率が高くなり、CO2排出量や燃料費が削減できる。日本では、中国電力の三隅発電所1号機が世界初の商用USC発電所として1998年に運転を開始した（前ページ図「三隅発電所1号機（島根）の仕組み」参照）。

現在では、多くの石炭火力発電所がUSC方式を採用している。まだ実用化されていないものの、蒸気の温度を700℃級にする先進超々臨界圧発電（A‐USC）という技術も開発されている。

IGCCは石炭をガス化炉でガス化し、ガスタービン・コンバインドサイクル発電（GTCC）と組み合わせることにより、発電効率と環境性能を飛躍的に向上させた次世代の火力発電システムだ。石炭をガス化することで、CO2やNOxなどの排出量を大幅に削減できる。

IGCCは以下の工程で発電する。

IGCCの仕組み

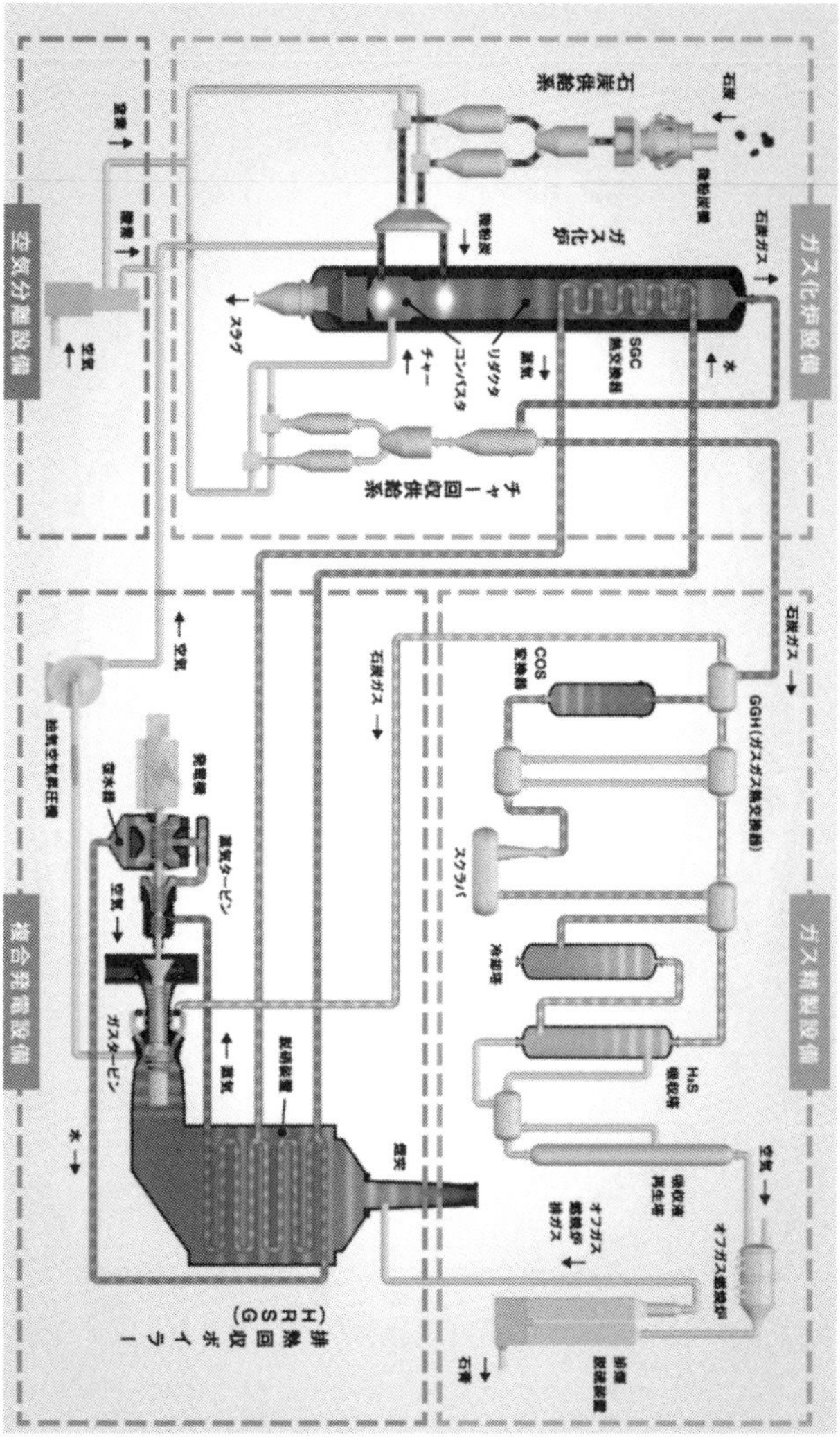

（勿来IGCCパワー合同会社HPより）

①ガス化炉設備：石炭を高温高圧の酸素と水蒸気で反応させて、一酸化炭素（CO）と水素（H2）を主成分とする合成ガス（シンガス）を生成

②ガス精製設備：シンガスから硫黄や塵などの不純物を除去して、クリーンなシンガスにする

③複合発電設備：クリーンなシンガスをガスタービンで燃焼させて発電し、その排熱を利用して蒸気タービンでも発電する（前ページ図「IGCCの仕組み」参照）

日本では、福島県の「勿来（なこそ）発電所」で2013年6月に日本で初めての商用運転を開始。2021年11月19日からは広野IGCCパワー合同会社が運転を開始している。

こうした日本製高効率ガス火力発電炉がどれほど環境負荷低減を実現しているのか――横浜市にある磯子石炭火力発電所は2002年、USCにリプレース（建て替え）を行った。リプレース前に比べると、窒素酸化物（NOx）が92％減、硫黄酸化物（SOx）は83％減、粒子状物質（PM）は90％減に成功している（次ページ図「USCリプレース前・後の比較」参照）。

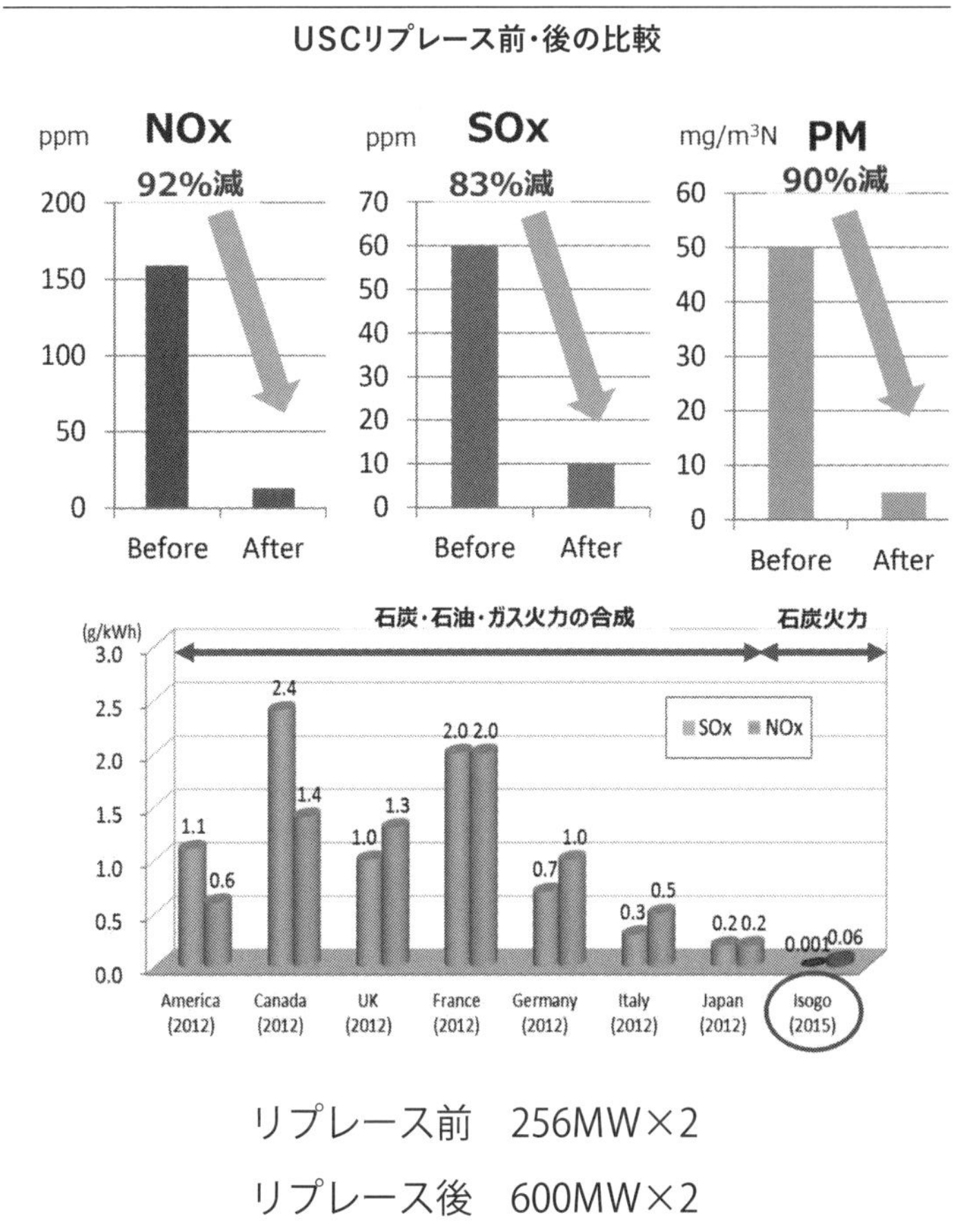
USCリプレース前・後の比較
ppm NOx 92%減
200 150 100 50 0
Before After
ppm SOx 83%減
70 60 50 40 30 20 10 0
Before After
mg/m3N PM 90%減
60 50 40 30 20 10 0
Before After
石炭・石油・ガス火力の合成
石炭火力
(g/kWh)
3.0 2.5 2.0 1.5 1.0 0.5 0.0
SOx NOx
1.1 0.6
2.4 1.4
1.0 1.3
2.0 2.0
0.7 1.0
0.3 0.5
0.2 0.2
0.001 0.06
America (2012)
Canada (2012)
UK (2012)
France (2012)
Germany (2012)
Italy (2012)
Japan (2012)
Isogo (2015)
リプレース前 256MW×2
リプレース後 600MW×2

間もなく求められる日本の技術

国際エネルギー機関（ＩＥＡ）の分析ではインド、東南アジア諸国を中心とした新興国では、経済発展と共に、今後も石炭火力発電のニーズが拡大することが予想されている。

日本で商用化されている最高効率の火力発電設備を、中国やインドといったアジアの国々とアメリカの石炭火力に適用すると、ＣＯ２削減効果は約12億トンに上ると試算されている。これはほぼ日本全体のＣＯ２排出量に匹敵する規模だ（次ページ図「石炭火力発電からのＣＯ２排出量実績（２０１４年）と日本の最高効率適用ケース」参照）。

今後、新興国では石炭火力発電増が見込まれており、この部分を日本産石炭火力で補えば、世界全体のＣＯ２排出量削減に寄与できるのである。

石炭火力発電はレガシーな技術ではなく、プラントの輸出事業も含めて期待できる新たな革新技術なのだ。ところがこの高性能な日本産石炭火力発電のメリットはまっ

石炭火力発電からのCO2排出量実績(2014年)と日本の最高効率適用ケース

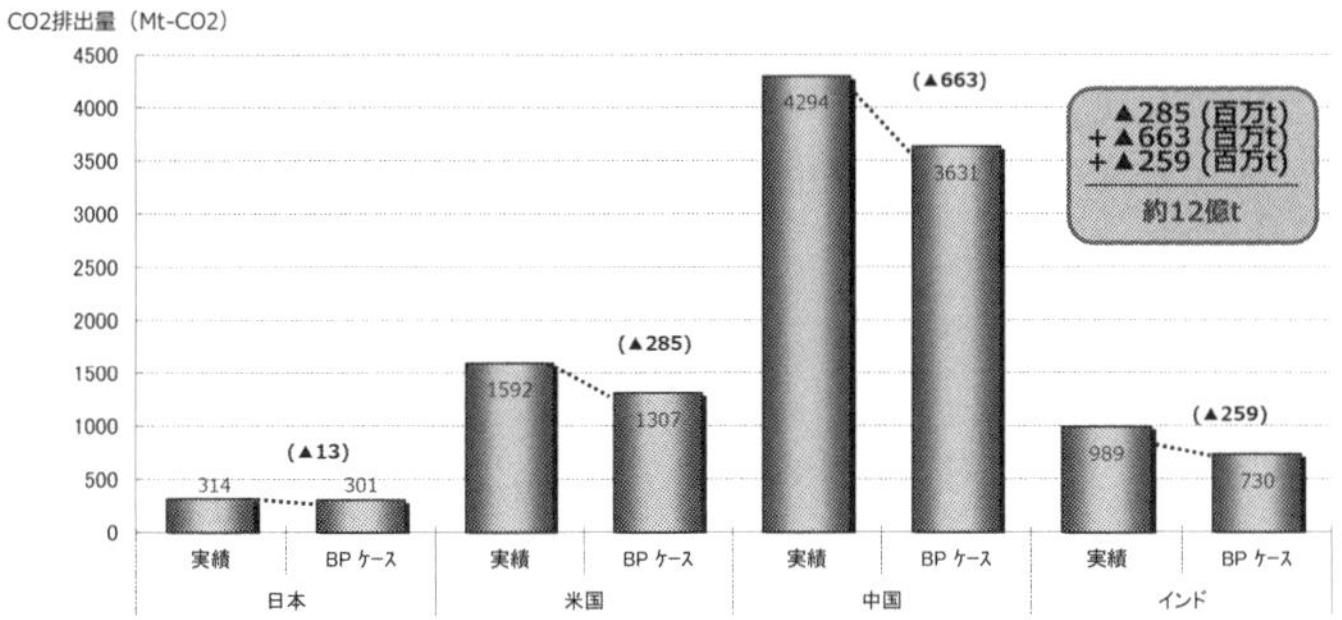

(資源エネルギー庁HPより)

USC 超々臨界圧発電方式	石炭を燃焼させて発生する蒸気を利用して、通常よりも高温・高圧で発電する方式。熱効率が高いので、従来に比べて少量の燃料使用量で済む
IGCC 石炭ガス化複合発電	IGCCは、石炭を高温高圧のガス化炉で可燃性ガスに転換させ、ガスタービンに導入して発電。その排熱を蒸気にして熱回収し、蒸気タービンで発電する複合発電
IGFC 石炭ガス化燃料電池複合発電	石炭をガス化して、燃料電池、ガスタービン、蒸気タービンの3種類の発電形態を組み合わせて発電する方式

たく欧米に伝わっていない。

２０２３年の現在ではエネルギー危機に陥っているヨーロッパが火力発電を復活させていることは前述した。ところがこうした火力発電所の多くが古い設備で二酸化炭素や有害物質の排出量が多い。

石炭火力発電＝毒ガス製造機の古典的なイメージが、ヨーロッパ各国の政府や、市民にすり込まれたままということだ。岸田総理がＣＯＰ26で火力からの撤退に触れず一部メディアから猛批判されたのも、日本産の最新の石炭火力発電の性能が周知されていないことが大きな理由である。

また岸田政権は２０２３年2月に「ＧＸ（グリーントランスフォーメーション）実現に向けた基本方針」を閣議決定。２０２３年5月12日には、ＧＸ推進法が国会で成立した。

この法律の柱になるのが、新たな国債「ＧＸ経済移行債（ＧＸ債）」の発行だ。２０２３年度から20兆円規模の資金を拠出し、10年間で官民で１５０兆円超のＧＸ投資を目指す。

ところが2023年4月15日～16日から開催されたG7環境大臣会合では共同声明に、日本発案の「GX」を採用しなかった。そもそも「X」を「トランスフォーメーション」と読ませるネーミングセンスに無理があるのだが、大きな理由は日本が「火力発電廃止」を明言しなかったことだとされている。

日本の石炭発電は非常に効率的で、環境負荷も少ないことの周知が急務といえるだろう。

しかも、欧米は、この高効率タービンなど内燃システムを作ることができない。したがってGX否定は、欧米による嫌がらせの側面が強い。自動車と同じ構造ということだ。

しかしドイツが自己都合でEVシフトからの後退を突きつけたように、「グリーン政策」はエゴと自己都合に満ちている。欧州各国で石炭火力が復活し自らに害が及べば、簡単に「火力発電撤回」が撤回されるだろう。その上で、日本に技術提供を求めてくるといういつものパターンになる可能性が強い。

エネルギー・デカップリング

176ページの上図、「石炭の可採年数と地域別資源埋蔵量」で示したように、石炭が多くの地域で長く採取することができることは、現在進行しているエネルギー安全保障上の危機に対して極めて重要な意味を持つ。

前述したようにエネルギーは政治と連動している。現在、世界はアメリカを中心とするG7＝西側と、中国とロシアを中心とする東側への分断が加速している。前述したようにエネルギーと政治は密接に連動しているのだ。ということはエネルギーの供給も、これに合わせてデカップリングしていくということになる。

次ページの図「地域別天然ガス生産量の推移」を見ると、ロシアと北米が世界全体の約3割ほどの天然ガスを生産していることがわかるだろう。

北米大陸における最大の天然ガス生産地がアメリカである。

2000年代からアメリカでシェールガス革命が起こり、アメリカは石油輸入国か

地域別天然ガス生産量の推移

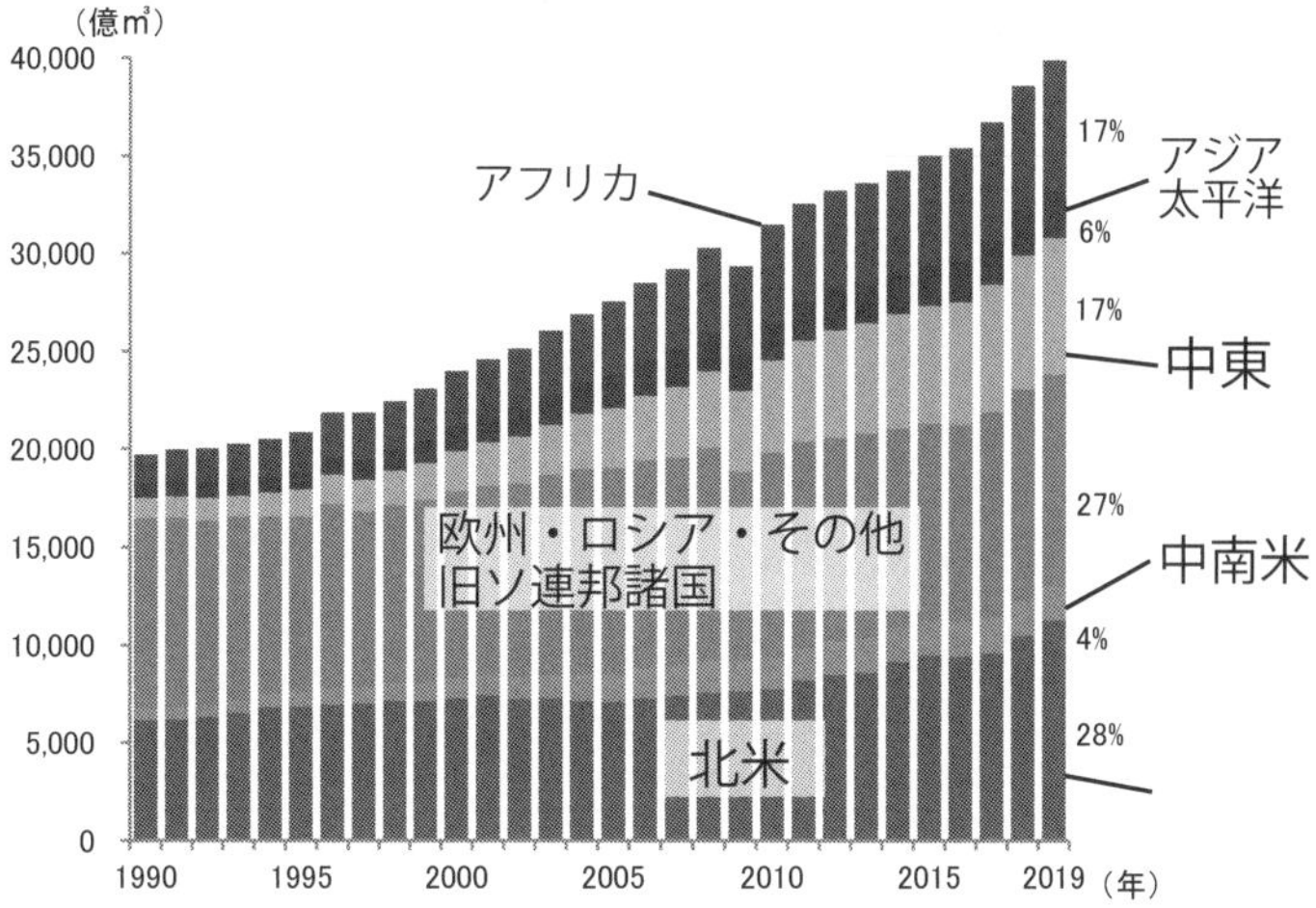

(資源エネルギー庁「エネルギー白書2021」を加工)

ら最大の産油国へと転換した。エネルギー、しかも石油とガスを自国生産できることは、国家として最大のメリットであることはいうまでもない。

ところが「地球温暖化防止」を政策の目玉に掲げ化石燃料の排除を目指すバイデン政権は、シェールガスの新規開発を停止した。このことで生産量は横ばいになっているものの、シェールガス、シェールオイルの生産を増やすことでロシアからの輸入減を埋め合わせることができる。

つまりロシアにエネルギー・プレゼンスを握られているヨーロッパは、アメリカからガスを輸入することによってロシアのエネルギー支配から解放されるということだ。2021年の中国の天然ガス輸入元は1位がオーストラリアで、2位がアメリカと米豪だけで約5割を占める。

このように、アメリカの天然ガスの多くは中国に向かって運搬されているのだが、この中国向け天然ガスをヨーロッパや日本に振り分けることで、ヨーロッパのエネルギー不足を相殺することができるということでもある。

2022年の北京五輪開幕式直前の中ロ首脳会談で、中国はロシアから大量の天然ガスを購入する契約を結んだ。現在の世界の天然ガスの供給構造は次ページの図「世界の主な天然ガス貿易（2019年）」のようになっている。

ロシアからの輸出分をアメリカが補い、ロシアが輸出先を中国に変え、アメリカの対中輸出分をEUと日本に振り分けるという新たなデカップリング構造が生まれる可能性は極めて高い。

このエネルギー・デカップリングは石油でも同時に起こるだろう。供給構造は、天然ガスと同じように入れ替わるということだ（次々ページの「世界の主な石油貿易（2019年）」参照）。

ただし石油の場合、大規模産油地・中東の存在がある。ところがバイデン政権は産油国に対する外交で大失敗をしてしまう。

2022年12月7日、中国の習近平国家主席は中東最大の産油国、サウジアラビアのサルマン・ビン・アブドゥルアジーズ国王の招待を受けて、首都・リヤドを公式訪問した。

2023年時点ではサルマン国王がサウジのトップだが、1935年12月31日生ま

世界の主な天然ガス貿易（2019年）

（10億m³）

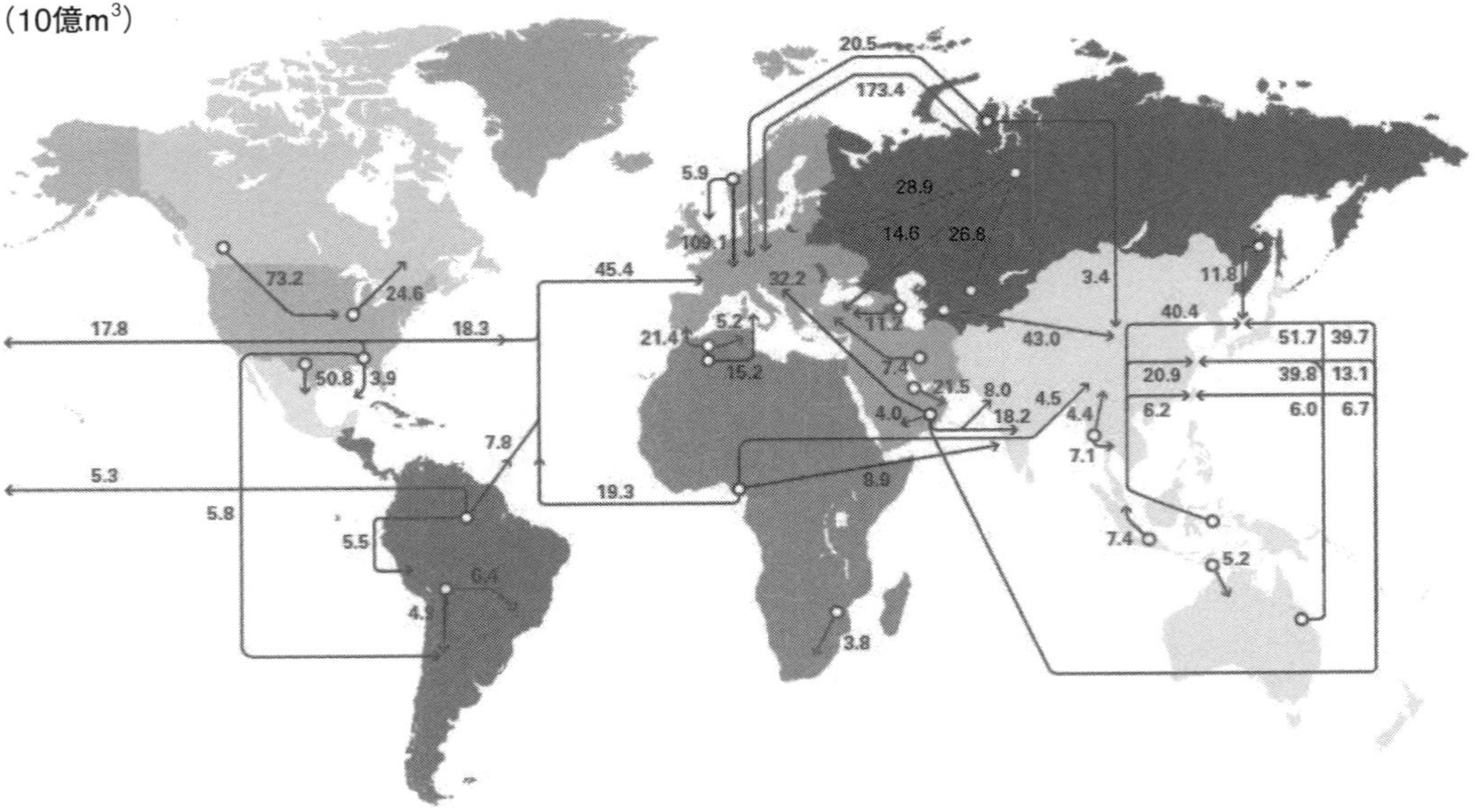

資源エネルギー庁「エネルギー白書2021」より

世界の主な石油貿易（2019年）

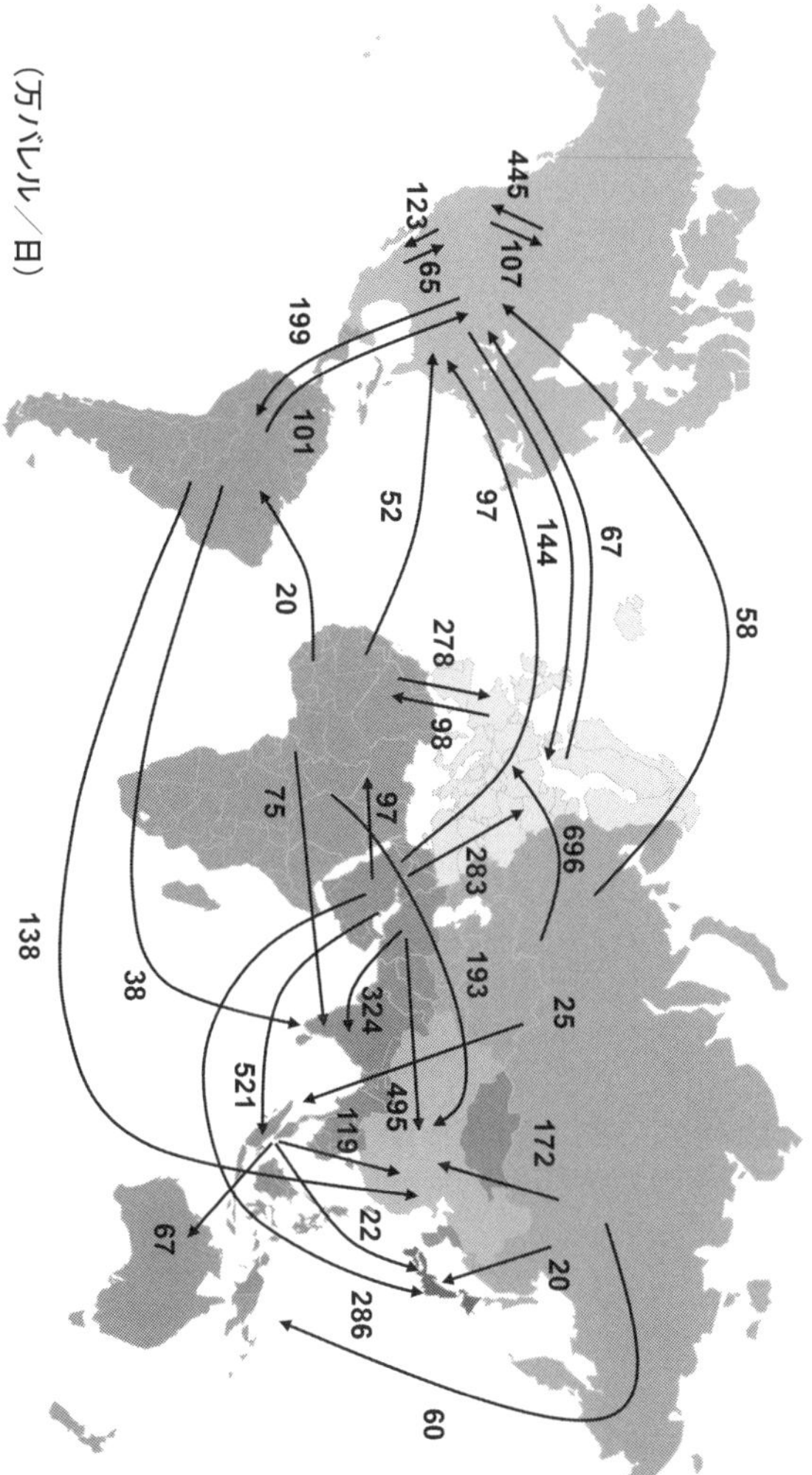

資源エネルギー庁「エネルギー白書2021」より

れの高齢ということで、国政の実務はムハンマド・ビン・サルマン皇太子が取り仕切っている。

１９８５年8月31日に生まれたムハンマド皇太子は、２０２３年5月時点で弱冠37歳だが、２０１０年代に国王の信頼を得て強大な権力を独占している状況だ。

２０１７年には、ムハンマド皇太子の命によって収賄や資金洗浄に手を染めたとして有力王族ら２００人以上を逮捕。ライバルになる勢力を追放した。また、禁止されてきた映画館の運営や女性の車の運転を次々に解禁すると表明。「新世代の改革者」という名声を確立した。

習氏のサウジアラビア訪問は２０１６年以来だが、訪問翌日の２０２２年12月8日、会談でサウジと中国は「包括的戦略パートナーシップ協定」に署名。12件の2国間協定・覚書の締結にはムハンマド皇太子も立ち会うことになったのである。主な締結内容は、

・サウジアラビアの「ビジョン２０３０」と中国の「一帯一路」構想との協調

・水素エネルギー分野の覚書

・両国間の民事、商業、司法支援に関する協定
・中国語教育への協力に関する覚書
・直接投資奨励の覚書
・住宅分野での協力に関する覚書の条項を活性化する行動計画

などだ。深刻なのはデジタル経済分野協力の戦略的パートナーシップが締結されたことだ。デジタル経済や情報通信技術（ＩＣＴ）分野をカバーし、Ｅコマースやフィンテックなどのスタートアップ・民間企業の成長を促進する協定である。

サウジアラビアが中国の情報支配圏に入るということだ。

中国は情報・通信インフラ、システムを第三国に供給。情報のグリップを握ることで、第三国を静かに支配する。

そもそもサウジアラビアは親米国家だったのだから、バイデン政権最大の外交的敗北といえるだろう。この背景にはキリスト教、ユダヤ教、イスラム教という宗教と宗派の問題、２０２２年にアメリカで行われた中間選挙など複雑な要因が絡まっている。

そこで中東内の宗派を巡る対立から整理していこう。

サウジとイランはなぜ対立するのか

中東で内紛や戦争が起こった時、日本では「スンニ派」、「シーア派」など宗派や、アラブの国と非アラブ国などで分類しながら解説されることがほとんどだ。

わかりにくさを感じる人も多いのではないか。

国際政治を理解するために覚えておけばいいイスラム教宗派は「スンニ派」と「シーア派」だ。イスラム教の二大宗派で、世界のイスラム教徒人口のうちスンニ派が約8割、シーア派が1割強を占めるとされる。「Gulf 2000」によれば、湾岸各国の比率はスンニ派が約7割、シーア派が約2割という比率だ。

両派の大きな違いはイスラム教の預言者、ムハンマドの後継者を巡る見解である。

・スンニ派　ムハンマド死去後、娘婿でいとこのアリを含む4人をカリフ（最高指導者）として認める

・シーア派　ムハンマド死去後、娘婿でいとこのアリとその思想をカリフとする

この解釈の違いから両派は対立するのだ。その対立は国家レベルに及ぶ。というのは、

・スンニ派の盟主国＝サウジアラビア
・シーア派の盟主国＝イラン

だからである。サウジアラビアとイランが、「中東の盟主の座」を常に競い合っているのはそのためだ。

この問題をさらに複雑にしているのは支配階層と国民の間で宗派の差が生まれるからである。例えばバーレーンは王族がスンニ派、国民の多くはシーア派という宗派構図になっている。２０１１年にはアラブの春の流れの中で、この「宗教のねじれ」も手伝ってバーレーン騒乱が起こり、93人の死者が出た。

ところがバーレーンは暴動が起きても支配階層がおカネをばら撒くので、政権転覆まで進まない。イラクはシーア派の大きなエリアだったが、支配したサダム・フセインはスンニ派という構図だった。

このスンニ派とシーア派の対立図式の中に、アメリカやロシアの「思惑」が絡みつ

いてくるので問題の構図がよりわかりにくくなる。

2016年には「シリア内戦」をきっかけにサウジとイランが国交を断絶した。米ロを交えて、それを図式化したのが次ページの「2016年サウジ・イラン国交断絶の概略図」である。

サウジはアメリカと同盟を結びながらロシアとも関係を維持。一方でアメリカのオバマ政権は核開発を巡る6カ国合意などを通じてイランに接近し、懐柔を試みた。

そのオバマ政権の外交の影響でサウジは追い詰められることになった。

追い詰められていたサウジ

シリア内戦は、中東の民主化運動「アラブの春」の影響を受けて、民主化を求める人々をアサド政権が弾圧したことをきっかけに始まった。イランは「主権尊重」を掲げアサド政権を支援した。ただし「支援」は緩やかなものではなく、イランが派遣した民兵や部隊が政権軍の屋台骨を支えるほどである。

2016年サウジ・イラン国交断絶の概略図

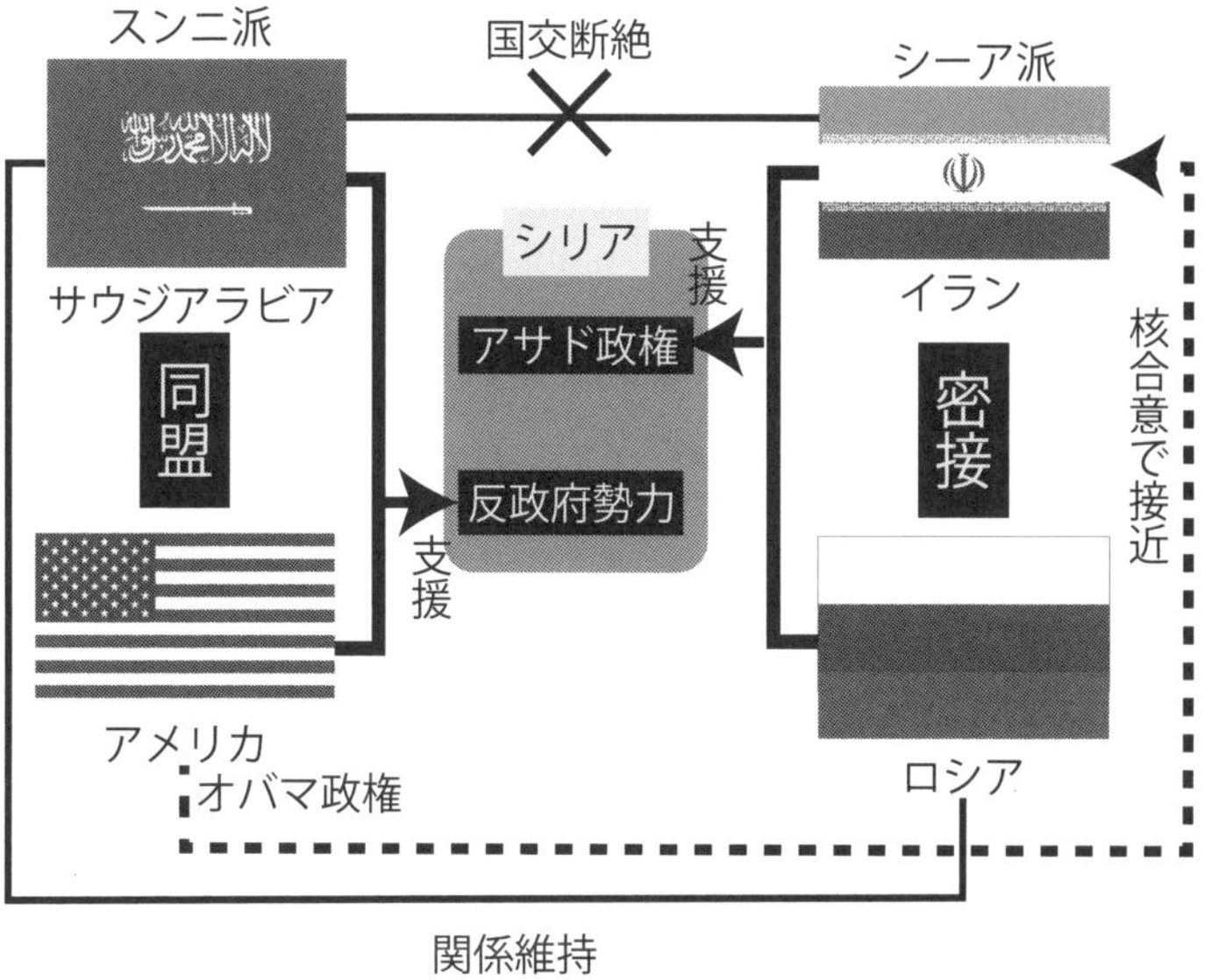

一方、サウジはアサド大統領退陣を訴え、反体制派を支援してきた。だが、反体制派は劣勢に追い込まれ、残る大規模拠点は北西部イドリブ県のみ。支配地は国土の1割に過ぎない。

この支援対立の背景にあるのも宗派である。前述したようにイランにはイスラム教シーア派が多い。サウジはイランについて、「イスラム教シーア派の人々を扇動して、各国の政体転覆をもくろんでいる」とみる。

イラン封じ込めは最優先の対外政策になっているが、成果は出せていない。2016年の断交以降、サウジではイエメンからのミサイル攻撃が続いていた。発射しているのはイランの影響下にある反政府武装組織フーシだ。

イエメンではサウジがハディ暫定政権を支える。フーシは2014年、首都サヌアを占拠し、暫定政権を撤退させた。これを受けて、サウジは2015年からフーシへの空爆を開始。だが、多くの民間人が巻き添えになっており、国際社会から非難されている。

中東ではシリアとイエメンのほか、レバノンとイラクでもイランと関係の深い勢力が影響力を持つ。アラブ諸国、そしてイスラム教多数派のスンニ派の盟主を自任するサウジ。だがその周辺では、イランの影響力が強まる一方だった。

何よりサウジの台所事情は窮乏の一途だった。ムハンマド皇太子が「2020年までに石油に依存しない経済に移行する」としたものの、政府歳入の大部分を原油に頼る構造は変わらない。歳出の2割超を占める軍事費は「イランの脅威」で年々増加。2013年以来、赤字予算だったが、コロナ禍とウクライナ戦争による原油高騰によって2022年にようやく黒字に戻した。

サウジにアラブの連帯を尊重する余裕がなくなり、ムハンマド皇太子が国益の最大化を目指す「サウジ・ファースト」の姿勢を強めていることは、アラブ諸国の分断を招いた。

2017年6月には、隣国カタールがイランに接近したとして、サウジはアラブ首長国連邦（UAE）やバーレーンと共に断交に踏み切り、経済封鎖を行った。だが結果は、元々はイランよりサウジに近かったカタールが、イランとの関係を強化する裏目に出た。

焦るサウジに、千載一遇のチャンスと映ったのがトランプ政権の誕生だ。トランプ氏は２０１７年の大統領就任前からオバマ前政権が結んだイランとの核合意を批判していた。

トランプ氏が批判したのはオバマ政権が、２０１５年に米英仏独ロ中の6カ国と、イランの核開発を大幅に制限する見返りに、イランへの経済制裁を緩和する核合意を結ぶイラン宥和政策だった。

結果、イランのプレゼンスは増し、オバマ政権時代のサウジはアラブ社会でのプレゼンスを喪失していたのである。

ところが大統領就任後、トランプ政権はイランと新たな核合意を取りつけるために、イランへの経済制裁を復活。イラン産原油の輸入を完全に停止するよう同盟国に求め、イラン産原油の取引量を減らしたり、輸入を止めたりする国が増えていったのだ。

トランプ氏はイスラム教徒に対する差別的な発言をしたり、一部アラブ国籍者の入国禁止措置を講じたりしたが、サウジは接近。トランプ氏は２０１７年5月、初めての外遊先にサウジを選ぶ。その外遊中、サウジは米国と計１１００億ドル（約12兆円）

に及ぶ巨額の武器購入契約を結び、米国の利益にこだわるトランプ氏を喜ばせた。

「敵の敵は味方」トランプ外交で中東が安定

2017年12月6日、トランプ氏はイスラエルの首都を、エルサレムであるとして、アメリカ大使館をエルサレムに移した。アメリカの歴代政権の政策を転換した。

日本人は中東とヨーロッパ、アフリカの関係を、独立した別の存在のようにみる傾向が強い。あたかも旅行のカタログ・パンフレットが中東、ヨーロッパ、アフリカで別になっているがごときだ。

しかし、この3つを遮る地中海の大きさは、日本列島が入る程度で、実態としての距離は陸続きのようなものだ。また、多くの日本人にとってキリスト教、イスラム教、ユダヤ教はすべて違う宗教のように見えるかもしれない。しかし、3つの宗教の「神」はすべて同じだ。その3つの宗教の聖地こそエルサレムである。

エルサレムの首都認定の動きの背後にあったのが、トランプ氏の娘婿のクシュナー氏だ。

クシュナー家は、1949年に祖父母がベラルーシからポーランドを経て米国へ移民したユダヤ人。クシュナー氏本人もイスラエル建国を目指したシオニストである。こうした動きの背景にはクシュナー氏の意見が強く影響しているとされていた。

エルサレムを「首都」として認めると、ユダヤ教のイスラエルが「聖地」を占有したということになる。混乱は必至だからこそ国際社会が「テルアビブ」を首都としていたのだ。

ところが混乱は起きなかった。2018年4月2日には、ムハンマド皇太子が米誌アトランティックのインタビューで、

「イスラエルの人々は自国の土地で平和に暮らす権利がある」

と踏み込んだ発言をした。アラブ諸国の多くが敵対するイスラエルの存在を容認したと受け取れる発言は、内外に大きな波紋を呼んだ。

さらにトランプ氏は2018年5月9日、「イラン核合意」から離脱。イランに対してより強硬な政策を展開した。

サウジ政府は否定するが、サウジがイスラエルと接触しているとの情報は2017年以降、たびたび報じられている。「対イラン」でサウジとトランプ政権、イスラエルの関係が強化されたということだ。

イランを唯一の「敵」として、敵の敵は味方というトランプ政権の外交戦略によって、中東は再び安定を取り戻す。

2020年8月13日には、トランプ氏の仲介によってUAEとイスラエルが、国交を正常化に合意するという歴史的な転換が実現した。トランプ政権の外交適正化は極めて大きかったといえるだろう。

ところがアメリカ-サウジ-イスラエルを軸にして「対イラン」の構図を作ったことによる安定は長く続かなかった。2020年のアメリカ大統領選挙を経て、2021年に民主党、バイデン政権が誕生したからである。

空転する中東外交

バイデン政権の誕生での最大の懸念だったのが、アメリカとアラブの関係悪化だった。バイデン氏は、2020年大統領選挙中も、対中東政策を明らかにしていなかった。その一方でイランとの核合意復帰を公約としていたからだ。

トランプ政権のイラン強硬政策から、オバマ政権の懐柔政策への転換が起こることは事前に予測されていた。前述したようにトランプ政権の最大の外交的功績は、イスラエル（ユダヤ教）とアラブ（スンニ派）との融和である。アラブの敵はイランなど中東（シーア派）であることから、敵の敵は味方の論理で、話をまとめ上げていた図式を、再び混乱に戻すということだ。

バイデン政権の外交政策はアラブ社会に対する裏切りということで、反発は必須の状態となった。

この状況をさらに悪化させたのが、「サウジアラビア人記者ジャマル・カショギ氏殺害事件」に対するバイデン大統領の発言だ。アメリカ在住のカショギ氏はサウジアラビアに批判的な立場だったが、2018年10月、トルコのイスタンブールのサウジ領事館でサウジの工作員に殺害された。

2021年2月26日、バイデン政権はムハンマド皇太子が「拘束または殺害する作戦を承認した」との情報機関の報告書を公表。さらに同日にはバイデン氏が、事実上の「王」であるムハンマド皇太子ではなく、父のサルマン国王と協議する考えを示し、「彼らに人権侵害の責任を負わせる。私たちと関係を望むなら、人権侵害に対処しなければならない」

と強調した。また報告書公表を受け、バイデン政権は皇太子の警護隊などを、資金凍結を含む制裁対象に指定。サウジ人76人にアメリカ入国ビザ発給を制限するとした。

ムハンマド皇太子に制裁を科していないものの、寝た子を起こすどころか事実上の「王」を侮辱したということだ。この因縁は2023年6月現在も色濃く残っており、アメリカとサウジは表向きは平和的関係であるが、まともな話し合いもできない状態に近い。

「核合意復帰」を公約にして大統領の座を勝ち取ったバイデン氏だが、大統領就任後にはイランとの間で核合意は空転した。それればかりか、ウクライナ戦争を通じてイランはロシアとの関係をますます深めている。

ウクライナ戦争においてはロシアにドローンなどを含めた武器を公然と提供しているのだからイランに対する宥和政策は、侵略された側のウクライナ人を殺す効果しかなかったということだ。

しかも2022年12月20日には、イラン核合意の再建交渉について問われたバイデン米大統領本人が、

「『交渉は』すでに死んでいるが、我々はそれをアナウンスしていない」

と発言した動画がTwitterで拡散する始末だ（次ページ写真『イラン核合意は「死んだ」と発言』参照）。

その上でバイデン政権は気候変動対策を目玉政策にしてシェールガス、シェールオイルの採掘を中止し、国有地のガソリンなどの採掘料を引き上げ、新規の採掘も認めなかった。また脱化石燃料を目指し、ESG投資やグリーン投資の拡大を働きかけ、

イラン核合意は「死んだ」と発言

（Twitterアカウント　@DamonMaghsoudi　午後3:16・2022年12月20日より）

金融などにも化石燃料融資をしないように圧力をかけたのである。
石油産油国の失望は当然のことといえるだろう。

希代の無能がグリーンを牽引

このバイデン政権による複合的な中東政策失敗の中で、石油やエネルギーの巨大消費国となった中国がアラブに接近を始めていたわけだ。そして、サウジと中国の戦略協定が結ばれることになったのである。

これは西側諸国全体にとっては大きなマイナスであり、ドルの不安定化にもつながるリスクが高い。現在、アラブの湾岸通貨はドルペッグであり、ドルは原油により裏付けられている構造にあるからだ。

中国には石油のドル支配を最終的には人民元に切り替えさせ、ドル構造からの脱出したい意図がある。しかし、アラブはその資産のほとんどをドルで運用し、ドルで保管しており、それは過去の資産を失うことを意味する。

中東と中国の接近が密になるのか疎になるのかは、バイデン政権次第ということだ。一連の「愚策」の中心にいる人物が、バイデン政権で気候変動問題担当大統領特使を務めるジョン・ケリー元国務長官だ。「働き者の無能」ほど破壊力のある人間はいないが、ケリー氏の無能は「超人」の域である。

オバマ政権時代にケリー氏は国務長官を担当したが、その専門はまさに中国だった。この時の宥和政策によって中国がアメリカにとって「唯一の競争相手」になるまで成長してしまったのは、ここまで書いた通りだ。

バイデン政権は、ケリー氏を気候変動問題担当大統領特使として任命し、COP26などで脱化石燃料を主導させた。また、中国との間でも環境問題では連携するとして、ケリー氏が対中外交のパイプとなっているのだ。

脱化石燃料ということで中東外交を続々と失敗に追い込んだばかりか、対中強硬政策を妨害している人物とされているのである。肝心のESG投資についても、すでにバブルが崩壊したことは前述した通りである。

繰り返しになるがバイデン政権の「グリーン政策」は転換期を経て失敗することが

確実になった。

2023年3月13日、バイデン政権は石油大手コノコフィリップスがアラスカ州北西部で進める大規模な石油掘削プロジェクト「ウィロー」を承認した。

トランプ前政権によって既に承認されていた、アラスカのノーススロープ地域で最大で18万バレルの原油生産を目指すこのプロジェクトである。

バイデン政権はこのプロジェクトを承認した理由として、アラスカ州の経済や雇用の支援、米国のエネルギー安全保障の強化、石油産業との協調などを挙げている。「規模を縮小する」という条件を付けたのは、気候変動側への配慮だ。

エネルギーの絶対量不足という現実に、化石燃料が必要であることをようやく認め始めたということになる。意識高い系の無能が敗北したともいえるだろう。

アメリカで共和党が勢力を拡大している大きな理由の一つがエネルギー価格の高騰だ。その原因である民主党のグリーン政策は否定されている。この大きなトレンドは世界に波及することになるが、それについてゆけないのが欧州だ。

そのことはかなり深刻で欧州の衰退を促進する可能性が高い。

問題は日本だ。日本は、この脱グリーンの流れを理解する必要がある。SDGsを掲げるのは自由であるし、利用するのはよい。しかし、それを妄信するのは間違いである。

2023年5月10日、トヨタは、欧州の投資会社3社から受けた脱炭素の取り組みに関する株主提案に対し、反対することを決めたと発表した。

現在の世界情勢を見通した極めて正しい判断といえるだろう。自滅の道を歩む必要はないのだ。

エネルギーは人の営みの根幹であり、安価で充分なエネルギーがなければ国家は発展しない。膨大なエネルギー消費国である新興国が脱化石燃料を否定している中で、先進国だけがそれを進めるのは無意味だからだ。

現在の日本は「火力」をベース電源にして、「再生可能エネルギー」を上積みするエネルギーミックス構造になってしまっている。本来、ベース電源であるべきは「原子力発電」だ。

SDGsバブル崩壊の混乱の中で日本が力強い成長を遂げるカギでもある。次章ではそのことについて解説していこう。

第6章

原発再稼働と開発が日本復活のカギ

資源貧国・日本のエネルギーミックス

資源を生産する能力がほとんどない日本にとって産業に必要なのは「電力」だ。前章では石炭火力発電について解説したが、「電源構成」について整理しよう。

電源は電源全体を根底で支える最も大きな発電量を占める「ベースロード電源」、その「ベースロード電源」では足らない部分を補う「ミドル電源」、さらに「ピーク電源」の3階建てのエネルギーミックスになっている。

ベースロード電源は、発電コストが低くて安定的に稼働できる発電方式が選ばれる、ミドル電源はベースロード電源の出力が落ちた時に稼働するので出力調整が容易な発電方式、ピーク電源は「ベースロード」、「ミドル」をさらに補完するものになる。

電力と産業の関係や、出力について知らない「意識高い系」はベースロード電源を「太陽光を中心とした再生エネルギー」、ミドル電源を「天然ガスを中心とした火力」、ピーク電源を「原子力発電所」というエネルギーミックスを理想としている。

実際、ドイツがこの「意識高い系エネルギーミックス」に陥り、ドツボにハマっていることは前述した通りだ。

現在の世界がG7を中心とした西側と、中国・ロシアを中心とした東側に「デカップリング」しているまっただ中にいることはここまで解説した。このことはモノの生産にも影響を与えている。

これまで中国は「世界の工場」と呼ばれ、経済成長を遂げてきた。西側がサプライチェーンの中核を、敵対する東側の中心国に任せるはずがない。そこで技術大国、日本に期待されているのが産業大国としての復活である。

この波に乗れば日本経済はダイレクトに成長を遂げることができるということだ。そのために必要なのがエネルギーミックスの変更だ。

安全基準をクリアしたすべての原発を再稼働して、ベースロード電源に、安価で出力調整が簡単な石炭火力発電をミドル電源に、再生可能エネルギーは太陽光ではなく地熱や洋上風力などを開発しピーク電源に（次ページ図「日本復活のための電源構成」参照）――簡単にいえば、これだけで日本経済は復活するのだ。

日本復活のための電源構成

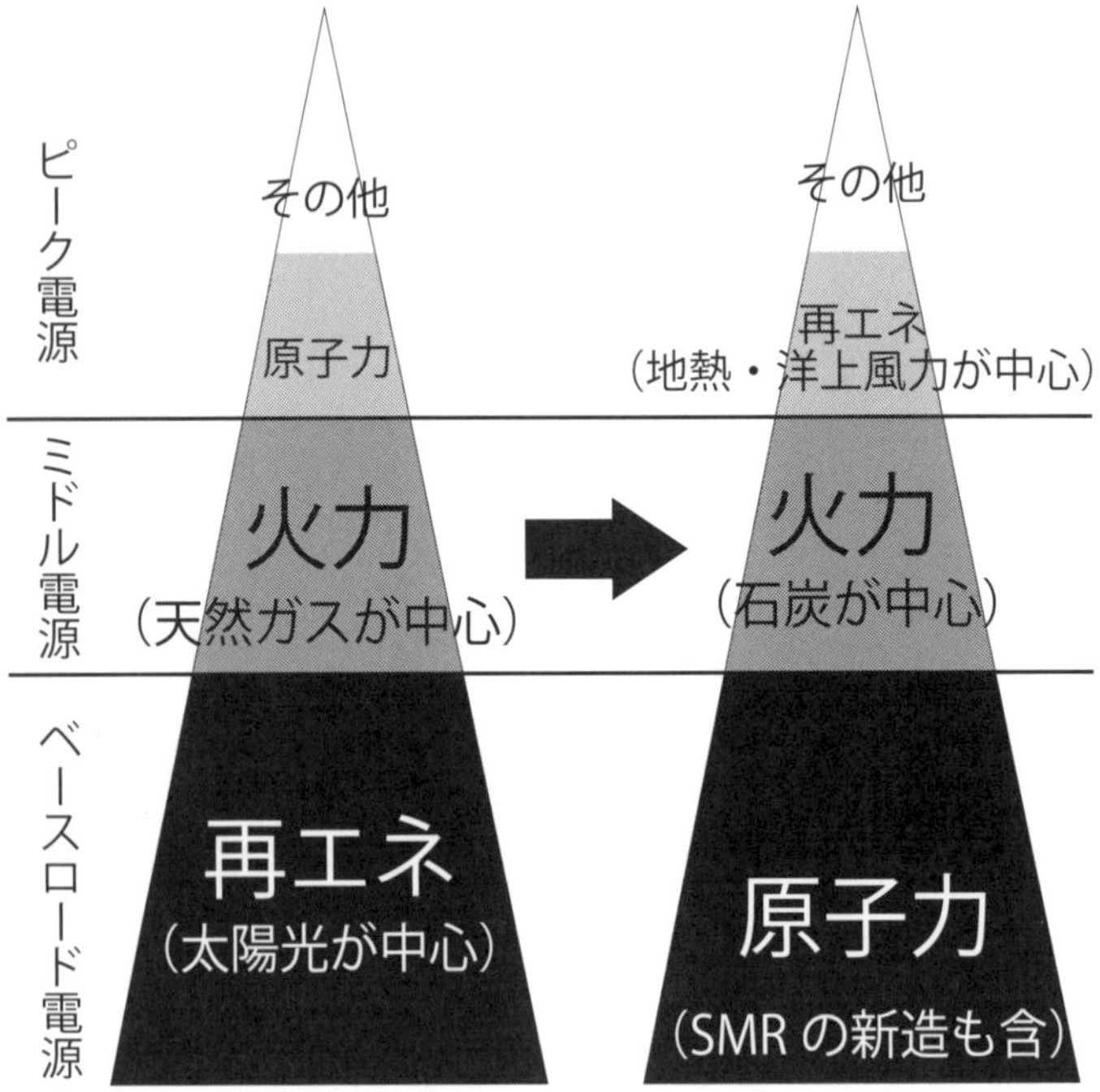

意識高い系が理想とする電源構成

資源貧国の日本が技術・産業大国に復活するための電源構成

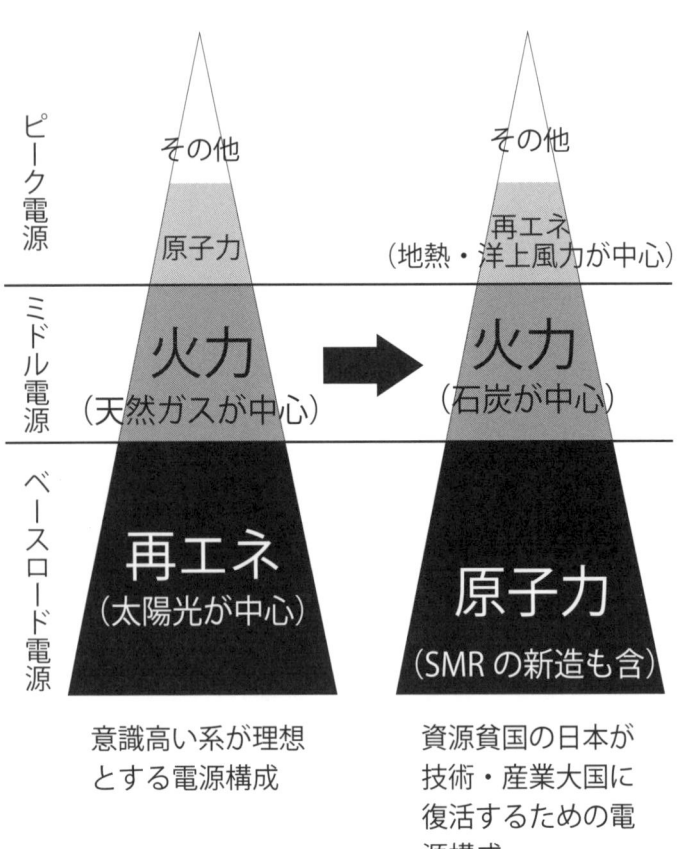

２０２１年5月31日、経済産業省が最先端の半導体製造技術の開発者としてＴＳＭＣを選定したことを発表。すでにこの3カ月前の同年2月、ＴＳＭＣは茨城県つくば市に拠点を建設していたので、予定調和のスケジュール通りということだ。

２０２１年10月9日、ＴＳＭＣとソニーが熊本に共同建設する半導体の新工場計画についての大枠を固めた。総投資額は８０００億円で、政府が最大半分を補助する台官民の三位一体のプロジェクトである。

実は熊本県にはソニーセミコンダクタソリューションズ株式会社、株式会社ルネサスエレクトロニクス株式会社、株式会社東芝など半導体関連装置や部品を製造する会社が約50社も集中している。

その理由の一つが「水」だ。熊本市は水道水源の１００％を地下水でまかなっている全国でも稀な地域で、熊本県全体でも、生活用水の地下水依存率が約8割と高い。

もう一つが「原発」である。

その根拠となるのが大阪の枚方市や守口市にあった工場群だ。例えばパナソニックエナジー株式会社の守口工場は、乾電池やリチウムイオン電池などを製造。株式会社太陽機械製作所は、枚方市に本社を置き、電気機器や半導体装置などの部品を製造している。また上村工業株式会社は、枚方市に化成品工場と機械工場を持ち、電子材料や半導体関連製品などを製造している。

これらの工場郡は、日本の電気産業の発展に貢献していた。現在でも、一部の工場は稼働しているが、多くは閉鎖されたり移転したのだ。

シャープは大阪府内に工場を持ち、液晶テレビや冷蔵庫などの電気製品を製造していた。現在では国内の工場を縮小、閉鎖している。

この国内産業空洞化の大きな要因の一つが東日本大震災の福島第一原子力発電所の事故を受けて、2012年5月5日、1970年以来42年ぶりに日本の全原発が稼働を停止したことにある。

元々日本では世界で最も厳しい基準を設けていたが、さらに数段厳しい「新基準」を設けた（次ページ図「従来の規制基準と新規制基準の比較」参照）。その「新基準」によって全原発を審査することになったのである。

2022年1月現在、定期検査で停止中のものも含めて日本で再稼働している原発

従来の規制基準と新規制基準の比較

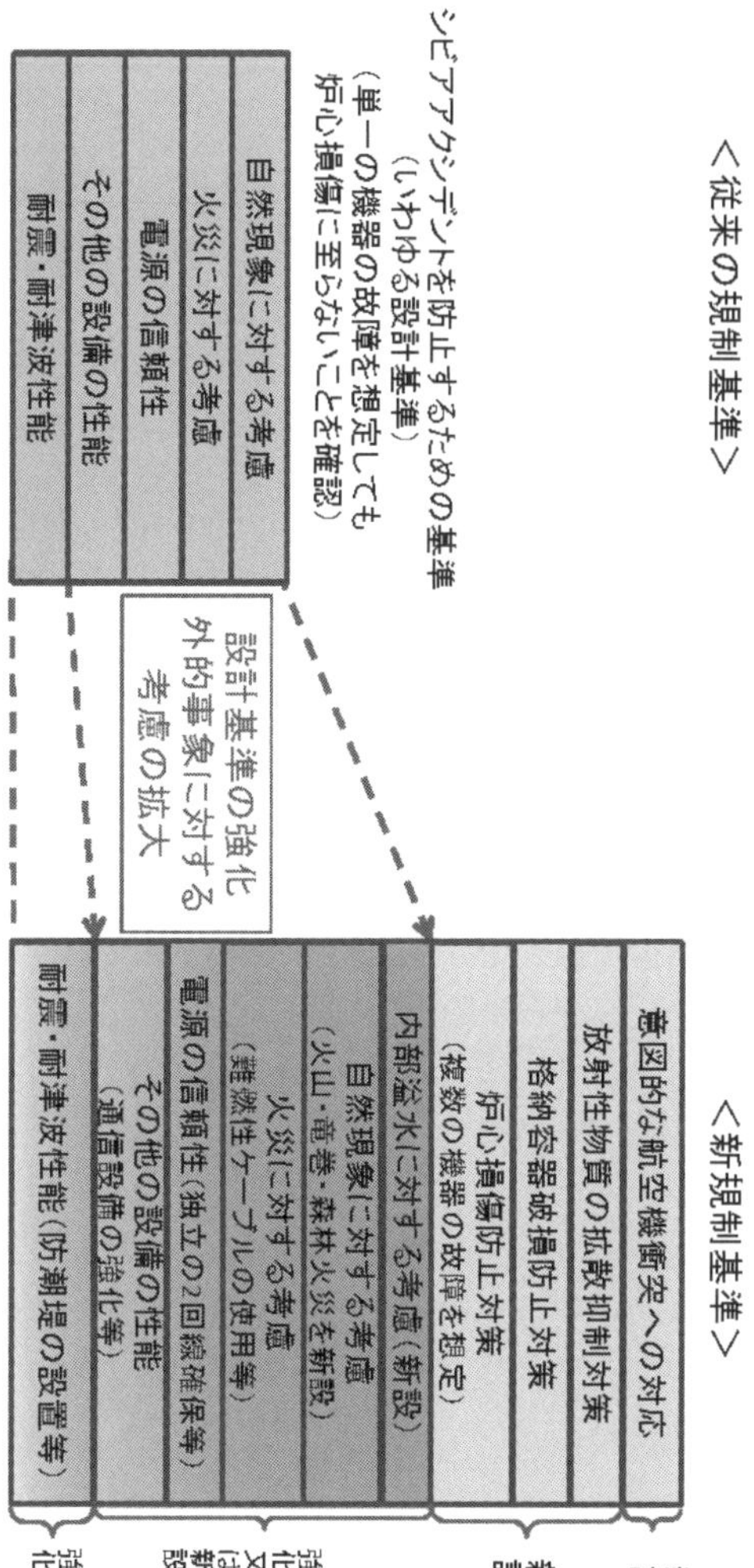

（原子力規制委員会HP「新規制基準の特徴」より）

は10基。審査中が10基。で、実に7基が審査が終了したにもかかわらず再稼働していなかった。

再稼働の原因となったのが脱原発訴訟だ。2022年2月現在でも全国で30件以上の「脱原発訴訟」が係争中である。原発は稼働と停止を短期間で繰り返すと事故や故障のリスクが高くなる。敗訴すれば原発停止を余儀なくされる状態で再稼働に踏み切ることができなかった。

そもそもだが「原発を停止すること=安全」というのは、まったくの誤解だ。プールの中には普段から燃料棒が入っているのだから、リスクは運転に関係なく同じである。訴訟を通じた原発稼働妨害は、非科学的な思考に基づいた嫌がらせということだ。

しかも再稼働の判断は、原発立地の各自治体に委ねられていて政府が手を出すことは難しかった。ところが2022年8月24日、岸田文雄総理は、審査済みの7基の原発について

「国が前面に立つ」

として2023年夏以降に再稼働を進める方針を示したのである。

再エネ電源は産業に1ミリも寄与しない

次ページ図「2023年5月現在の日本国内の原発稼働状況」を見れば、特に2023年夏に再稼働予定の東京電力の原発は2基のみである。

2022年12月15日には、太陽光信者の東京都の小池百合子知事が推進した新築の戸建て住宅への太陽光パネル設置を義務付ける条例改正案が都議会で可決。2025年4月から義務化が始まる。

再エネ信者は太陽光パネルも原発も同じ「電気」だと思い込んでいるが、まったく違う。

問題は電気の「質」にある。

質が必要となるのは「産業用電力」だ。

電気は磁石を回すことで生産される。模型屋でモーターを買ってきて、手で回せば電気が生み出されることをご存じの人も多いのではないか。こうした発電機は「ジェ

2023年5月現在の日本国内の原発稼働状況

	電力会社	原子炉
未申請	東北	女川3
	東京	柏崎刈羽1
		柏崎刈羽2
		柏崎刈羽3
		柏崎刈羽4
		柏崎刈羽5
	中部	浜岡5
	北陸	志賀1
審査中	北海道	泊1
		泊2
		泊3
	東北	東通1
	中部	浜岡3
		浜岡4
	北陸	志賀2
	中国	島根3
	日本原子力	敦賀2
	電源開発	大間

	電力会社	原子炉
許可	東北	女川2
	東京	柏崎刈羽6
		柏崎刈羽7
	関西	高浜1
		高浜2
	中国	島根2
	日本原子力	東海第二
稼働済み	関西	高浜3
		高浜4
		大飯3
		大飯4
		美浜3
	四国	伊方3
	九州	川内1
		川内2
		玄海3
		玄海4

→ 2023年夏に再稼働予定（許可）

ネレーター」と呼ばれる。「周波数」はモーターを回す回転数によって決まり、回転数が低ければ周波数が下がり、高くなれば上がるのだ。

日本では富士川・糸魚川周辺を中心に東側が50Hz、西側が60Hzとなっている。これは日本に発電機が導入された時の輸入元の仕様がそのまま残ったからだ。そこで多くの電気機器にはインバーターという周波数の調整装置が備えられ、故障しないようになっている。

この周波数を乱すのが、「太陽光発電」だ。

太陽光は太陽光パネルの化学反応によって発電する。風力にせよ太陽光にせよ発電量が「天気まかせ」になることから周波数が極めて不安定なまま供給されることになる（次ページ図「再生可能エネルギーと電気の質の関係」参照）。

この良質な電力を必要とするのが、産業の核となる戦略部材「半導体」をはじめとする精密部材の生産だ。こうした部材の生産には莫大な量の電気ばかりか、高品質な電気が必要になる。

特に2011年に菅直人氏が総理辞任と引き換えに成立させたFIT法に基づく再

再生可能エネルギーと電気の質の関係

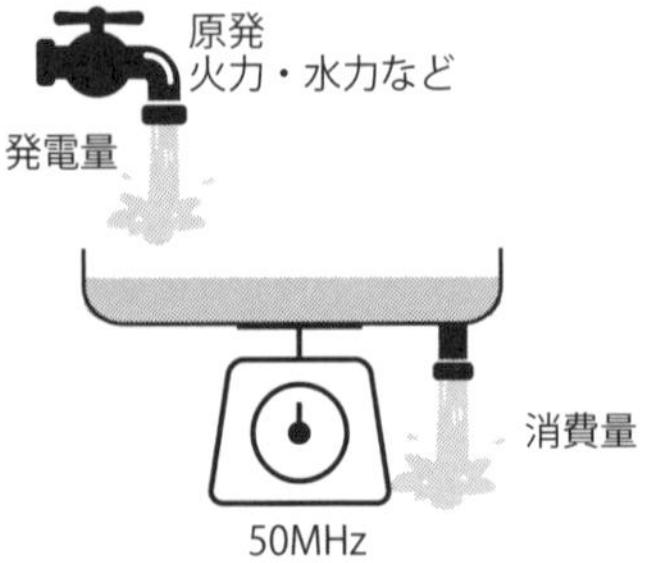

安定して発電できる原発を土台に火力などで、発電量と消費量が釣り合うように調整
||
周波数が安定
||
質のよい電気

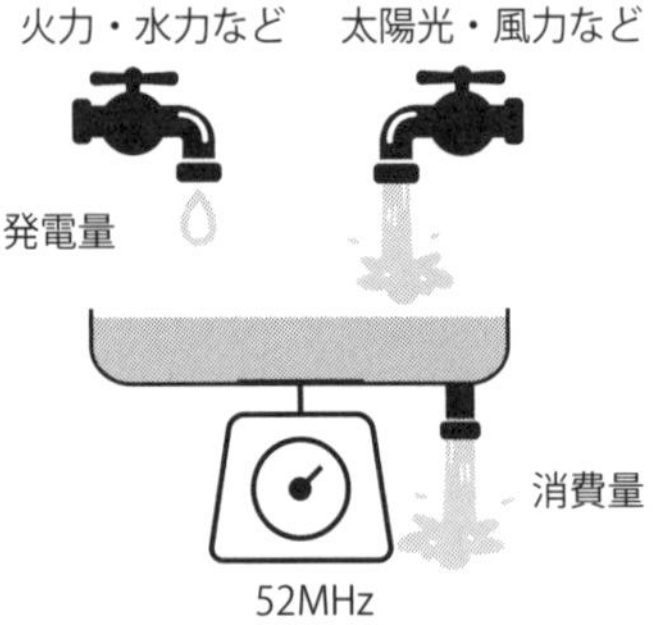

太陽光や風力が突然、大量に発電する
↓
周波数が上がる
↓
火力などの出力を調整
↓
周波数が乱れる

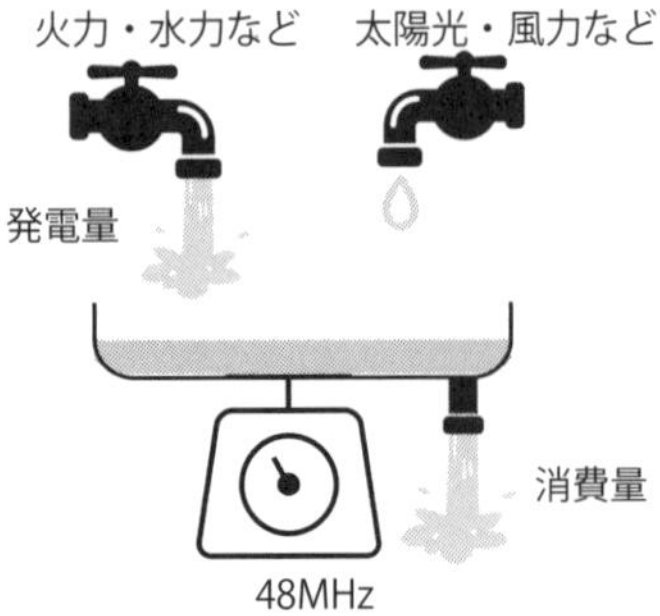

太陽光や風力が突然、発電量が減る
↓
周波数が下がる
↓
火力などの出力を調整
↓
周波数が乱れる

エネ賦課金は長く国民を苦しめてきた。環境省をはじめとする「再生可能エネルギー」を推進する機関は再エネの国民負担を「1世帯あたり年間1万円」としているが、これはごまかしだ。

2019年度の再エネ賦課金総額は2・4兆円、実に消費税1%分にあたる金額で、国民1人あたりで割ると1人2万円を超える負担だ。

その結果、産業用電力料金はアメリカの3倍、中国や韓国の2倍で、国際競争力が保てない状況だった。

もっとも中国、韓国の電気代が安い理由はスポット購入によって安価なガスを調達していたからだ。ウクライナ侵攻を経てスポットガス料金も高騰し、韓国電力は破綻危機にある。燃料ベースで考えれば、日本の方が安くなる可能性も出てきたが。

ともかく再生可能エネルギーは生産力を上げることを阻害こそすれ、寄与しないということだ。

新型原発開発にも着手

既存の原発を再稼働する一方で、日本は次世代の新型原発の開発にも着手している。

2022年1月21日、参院本会議で岸田文雄総理は、

「あらゆる選択肢を活用するという考えのもと、SMRや高速炉などの次世代型原子力発電技術の開発についても着実に進めていく」

と述べた。各々の技術について解説する。

原子炉はウランを燃料にしているが、稼働するとプルトニウムが発生する。高速炉とは使用済み核燃料を再処理して得られるプルトニウムを燃料として使用する原子炉だ。しかも消費した量以上のプルトニウムを増殖させることができる。

これにより、核燃料サイクルにおける高レベル放射性廃棄物の減容化や有害度の低減、資源の有効利用の効果をより高めることが期待されているのだ（次ページ図「日本の核燃料サイクル」参照）。

日本の核燃料サイクル

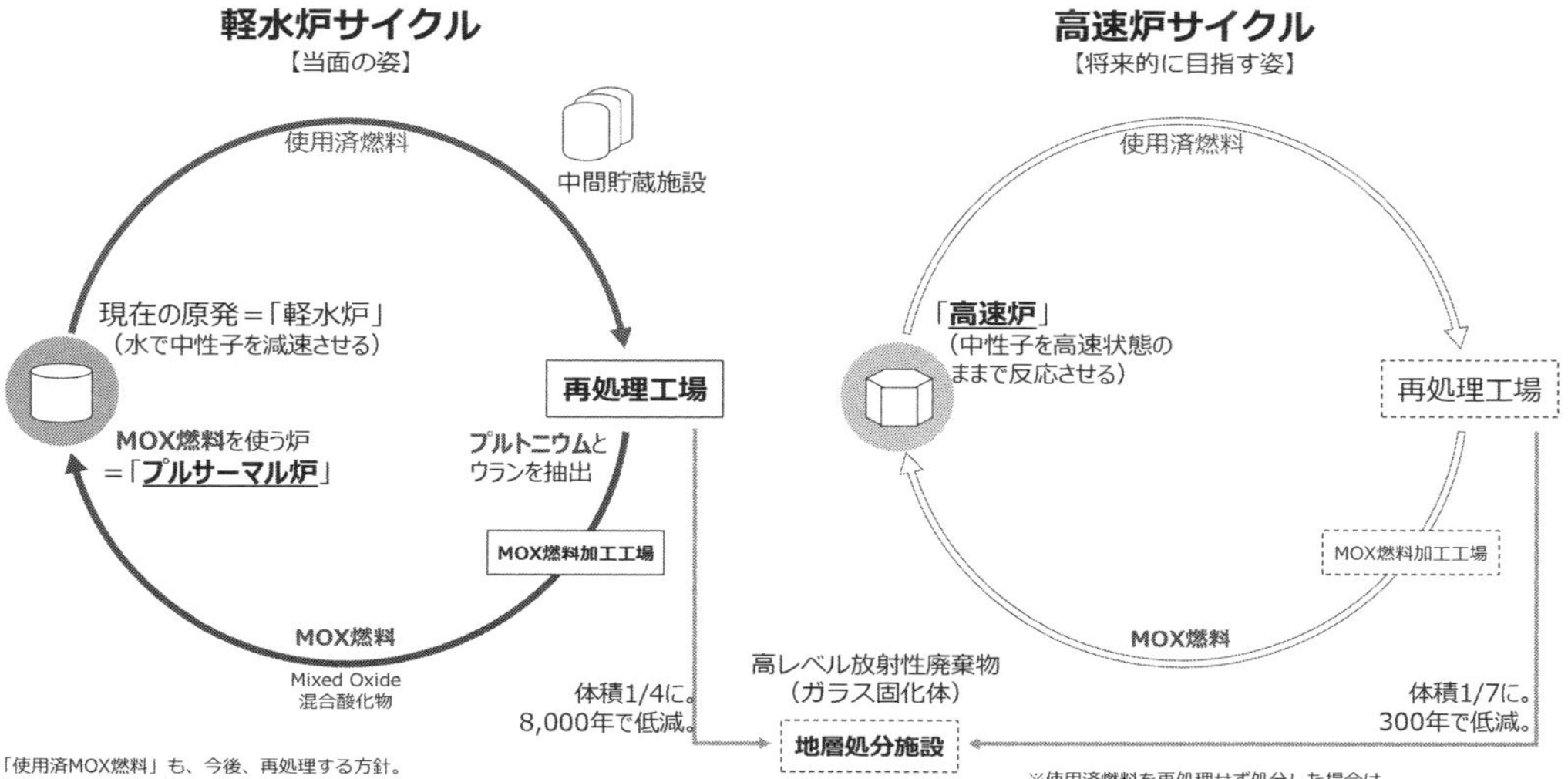

※「使用済MOX燃料」も、今後、再処理する方針。
現時点では具体的な地点や事業規模も未定だが、
必要な資金は、法律に基づいて事業者が拠出中。

※使用済燃料を再処理せず処分した場合は、
10万年で天然ウランと同水準の放射能レベルまで低減。

しかし、高速炉は既存の原発と比べて技術的な課題やコスト面での問題が多く、世界的に開発が遅れている。

日本では高速増殖炉「もんじゅ」が開発されたが、1995年にナトリウム漏れ事故、2010年に燃料交換装置落下事故などトラブルが相次いだ。2016年には廃炉が決定した。

しかし日本政府は2022年12月に原子力関係閣僚会議で「戦略ロードマップ」を改訂。これによれば2023年度夏に「もんじゅ」の次の段階にあたる異なる設計、技術を採用した「実証炉」の中核企業を選定する。2028年頃までに設計方針を絞り込み、2050年頃の運転開始を目指している。

新型高速炉の開発には、三菱重工や日本原子力研究開発機構などが参画する予定だ。

すぐ後で詳述するがSMRとは「小型モジュール炉」のことだ。2021年10月12日に高市早苗氏が政務調査会長（当時）として発表した自民党の「政策パンフレット」に、

〈カーボンニュートラルによる環境と経済の好循環実現のため、エネルギー効率の向

上、安全が確認された原子力発電所の再稼働や自動車の電動化の推進、蓄電池、水素、ＳＭＲの地下立地、合成燃料等のカーボンリサイクル技術など、クリーンエネルギーへの投資を積極的に後押しします〉

とある。２０２０年代後半を目指す意見が強いという。

ＳＭＲは「Small Modular Reactor（小型モジュール炉）」の略で、現在、世界各国が開発している、まったく新しいコンセプトの原子力発電「装置」である。

既存の大型原子炉は冷却するためにポンプで大量の冷却水を送り込まなければならない。対して小型モジュール炉は体積に比べて大きな表面積を持っていて、大量の冷却水を送り込まなくても済む。またアクシデントがあっても炉が自然に冷える構造だ。

その意味で安全性が高く、冷却用の大型装置を必要としないため原子炉全体を簡単な構造にすることができるのだ。

また既存の原子力発電所を建設するためには、現地でゼロから組み立てる大規模な工事を必要としていた。対してＳＭＲは規格化された部材を工場で生産し、組み上げてユニット化して設置する。既存の原発がオリジナルなデザイン住宅であるのに対して、SMRは工場で予め組み立てられるプレハブ住宅というイメージだ。

こうすることで高い品質管理と工期の短縮を可能にして、低コストを実現する。

実は原発先進国であった日本はSMR開発の先端国だ（次ページ表「現在開発中の主なSMR」参照）。絵に描いた餅ではなく、すでに実用化の一歩手前まで来ている。

日立GEニュークリア・エナジー社は、カナダの電力大手のオンタリオ・パワー・ジェネレーション（OPG）から、SMRの受注を獲得した。2026年にオンタリオ州で着工し、2028年に完成する予定だ。

また、日本原子力研究開発機構もカナダのオンタリオ州、ニューブランズウィック州との間で、高速炉や高温ガス炉などのSMR技術に関する情報交換や共同研究を行っている。

次ページの「現在開発中の主なSMR」に載っていない、すでに実験炉として稼働しているSMRがある。茨城県大洗町にある、日本原子力研究開発機構大洗研究所の高温ガス炉（HTTR）だ。1998年に初臨界を達成し、2004年には、950℃の高温運転に成功。2011年の東日本大震災によって運転を停止した。

現在開発中の主なSMR

NuScale SMR	
開発	米NuScale社
特徴	1モジュールの出力は6万kW、通常の「加圧水型」原子炉の1/20程度
	最大12個のモジュールを大きなプールの中に設置
	1モジュールは、「圧力容器」「蒸気発生器」「加圧器」「格納容器」をふくむ一体型パッケージで、大型の冷却水ポンプや大口径配管が不要
	各モジュールは、それぞれ独立したタービン発電機と復水器に接続
	小型化と一体化を図ることにより、大規模な冷却材喪失事故のリスクを回避

BWRX-300	
開発	日立GEニュークリア・エナジー社と米GE Hitachi Nuclear Energy社
特徴	従来の「沸騰水型」よりもさらに構造が単純で、建設コスト、運転コストの低減が可能
	SMRのメリットである低い総建設費、工場完成一体据付、建設工期短縮のメリットを生かして資本リスク、建設リスクの低減が可能
	ガス火力並みの価格競争力を持ち、米国のガス火力発電プラントの建て替え需要も視野に
	圧力容器と一体になった弁を採用し、大規模な冷却材喪失事故のリスクを実質的に回避

PRISM	
開発	米GE Hitachi Nuclear Energy社
特徴	空気の自然循環を利用して熱を冷やす方式を採用し、高い安全性・信頼性をもつ
	高速炉は大気の圧力（大気圧）と同程度の圧力で運転されることから、冷却材喪失事故やそれにともなう格納容器内の圧力上昇が発生しない
	出力あたりの原子炉建屋の大きさは、「加圧水型」や「沸騰水型」のSMRよりもさらに小さい
	高レベル放射性廃棄物の体積を減らすことが効率的にできる
	炉心温度が高く、軽水炉型にくらべて熱効率を飛躍的に向上できる

（資源エネルギー庁HPを元に作成）

高温ガス炉は、炉心の主な構成材に黒鉛を中心としたセラミック材料を用い、核分裂で生じた熱を外に取り出すための冷却材にヘリウムガスを用いた原子炉である。

既存の日本の原発のほとんどが軽水炉だが、軽水炉は燃料に金属被覆管を使用し、冷却材には水（軽水）を用いる。原子炉から取り出せる温度はせいぜい300℃程度で、蒸気タービンによる発電効率は30％に留まる。

対して高温ガス炉は、燃料に耐熱性に優れたセラミック材料を使用し冷却材にヘリウムガスを使用することで、1000℃の熱を取り出すことができる。ガスタービン発電方式を用いることで45％以上の発電効率を得ることができるのだ。

炉心の融解温度は2500℃と福島第一原発の2倍の熱に耐えられる。SMRはすべての機能が停止しても自然冷却する設計になっているが、大洗のHTTRは2010年には冷却材のヘリウムガスをすべて停止し、制御棒を抜いた状態でも原子炉が自動停止した。

炉心溶融事故の恐れのない原子炉とされるゆえんだ。

この高温ガス炉は2021年、10年半ぶりに運転再開した。新たに期待されているのは「水素」の生産である。高温ガス炉から出る熱を利用して、ヨウ素と硫黄の化合物を使って水を分解する「熱化学水素製造法」と呼ばれる方式で、電気分解よりも効率的でCO2の排出が少ない。

三菱重工業が2022年中に実証実験を始め、2030年代前半の実用化を目指している。

この高温ガス炉はイギリスが開発のパートナー国となっている。イギリス政府は脱炭素化に向けた原子力利用の最有力候補として高温ガス炉に着目していて、2030年代初頭までに日本の高温ガス炉の実証に繋げる予定だ。

ディズニーの記念映画が大爆死した

このように岸田政権は原発を再稼働し、SMRの開発を進めている。そもそもなのだが原発を停止させれば安全というロジック自体が「ウソ」なのだ。停止していても軽水炉内には燃料が保管されているのだから、重大なアクシデントが発生すれば核物質は飛散する。前述したが原発は停止→再稼働の時の事故リスクが最も高い。むしろ稼働させ続けることと、停止させ続けることのリスクはほぼ変わらない。

このように世論をリードするロジックには虚構が紛れている。ところが電気代が高騰するという現実の前では理念なんて簡単に吹き飛ぶのだ。ドイツの火力発電復活や、EVシフト後退への働きかけはその好例といえるだろう。

2022年11月、ディズニーは100周年の『ストレンジ・ワールド／もうひとつの世界』を公開した。製作費1億8000万ドル（約250億円）とされたが、公開初日の興行収入は420万ドル（5・8億円）。海外メディアVarietyは「壊滅的な結果」とし、最終的に推定1億4700万ドル（約204億円）の損失が予測されている。

奇跡の大爆死の根本原因はその内容だ。

山に囲まれて閉鎖された場所に暮らす冒険一家。ある日、その世界を見たいという ことで親子で冒険に出発する。途中で父子が対立して息子は村に戻るが、父は行方不明になってしまう。

その後、息子が電気の取れる木を発見して国は電化されていく。が、やがて電気を生み出す木が枯れ始めた。そこで息子は原因を探す旅に出る。すでに息子には男の子供がいて、子供のペットの犬も冒険に帯同。

しかしそのペットの犬は何の理由もなく前足が欠損し、白人一家なのに息子の妻は黒人だ。電気を産む木を壊していた原因は免疫細胞だったことを突き止めるものの、免疫細胞を守るために電気を棄てる選択をする。

こうして昔ながらの生活に戻ったが、「これは僕たちにとって必要なことなんだ」というセリフで強引に文明を棄てたことを正当化。最後に息子の男の子供が、同級生の男の子に告白して、皆幸せに暮らしましたというオチで映画が終わる。

「なんだか様子でもおかしくなっちゃったのか？」と思う人もいるかもしれないが、本当にこのような「様子のおかしいストーリー」なのだ。そもそも前足が欠損した犬を冒険に連れ出すのは動物虐待だし、子供が同性婚をすれば冒険家一族は3代で潰えることになる。

ディズニーは２００９年に『プリンセスと魔法のキス』という映画を公開。主人公のプリンセス「ティアナ」は黒人の女優を登用した。この作品の土台になっているのが、グリム童話『かえるの王さま』である。

またディズニーは２０２３年に実写版『リトル・マーメイド』を公開するが、主人公アリエル役に選ばれたのは黒人歌手のハリー・ベイリー氏だ。ご存じのように『リトル・マーメイド』の原作は、ハンス・クリスチャン・アンデルセンの童話『人魚姫』である。

確かにアフリカ大陸にも王国があり女王も存在したが、「プリンセス」というポジションはなかったようだ。そもそも白人文化の物語の「プリンセス」に、アフリカ系アメリカ人を登用することが「様子がおかしい」のだ。

この『ストレンジ・ワールド／もうひとつの世界』は、２０２３年現在のＳＤＧｓという理念の在り方を象徴している。そこに観客がいないのに、あたかもいるように見せかけて巨額の制作費を捻出させた。上映という現実を前にわかったのは、誰もそんなものは観たくなかったという現実だ。

持続可能な社会を描いた映画は、興行的には持続不可能となった。ディズニー本体にも大きなダメージを与えたという。

エネルギーで沈む諸外国

これまで日本が韓国や中国などに生産力を奪われていた原因の一つがエネルギーだ。前述したように東日本大震災以降、菅直人政権で作られたＦＩＴ法によって産業用電力が高騰。韓国や中国の2～3倍もの電気代を産業界は支払うことになっていたのである。

韓国や中国が安価なエネルギーを入手していた理由は「スポット購入」を多用していたことにある。「スポット」とは何かの理由で市場に出てくる安い価格のエネルギーだ。支払いのミスやトラブル、天候不順などを理由に「スポット」で安いエネルギーが市場に出ることは日常だった。

韓国も中国も「スポット」を中心にエネルギーを購入していたのである。

対してエネルギー安全保障を優先する日本は長期タームでエネルギーを購入していた。価格よりも安定した供給を選んでいたということだ。

ところがコロナ禍終息の経済活動再開とウクライナ侵攻によって、「スポット」が高騰。長期タームの購入金額を上回る事態になっている。そのことが韓国の電力を直撃した。

韓国では政府と政府系の機関が株式の約半分を保有する公営の韓国電力公社（KEPCO）が全国的に電力供給を行っている。韓国の電力発電における主要燃料はLNGなのだが、その価格は2020年から2022年の2年間で、実に35倍まで急騰した。

この状況にあって韓国の電力会社はコストを消費者に転嫁できない。韓国政府の電力料金抑制策で販売価格を引き上げられないからだ。結果、韓国電力公社の2021年12月期の連結営業損益は5兆8601億ウォン（約5600億円）と過去最大の赤字となる。

これまでの最大赤字は「リーマン・ショック」の影響を受けた2008年12月期の

2兆7981億ウォンの倍以上という惨状になったのである。

赤字が拡大していて経営危機も囁かれるほどだ。

こうなると生産力そのものが落ちる可能性は高い。東日本大震災以降の日本と同じ状況ということだ。だからこそ日本は電力を復活させなければならない。

前述したように大洗の高温ガス炉では水素を生産する実証実験が始まる。このことは日本の生産力と密接な関係がある。日本が世界に誇る技術が内燃機関、すなわちエンジンだからだ。

EVを作らなければ自動車業界が滅ぶといった、ノストラダムス的主張が散見されていることで、内燃機関がレガシーな技術だと誤解している人が増えている。カギになるのが「水素」だ。

トヨタが実用化させている「MIRAI」は水素によって発電してモーターを駆動する燃料電池車だが、水素燃料エンジンはガソリンのように水素を直接燃やして動力にする。

日本では1970年から研究が始まった。

2021年にはトヨタが水素燃料エンジンを搭載した車両でスーパー耐久の富士24時間レースに参戦し、完走。2021年11月13日には、ヤマハが5リッターV型8気筒の水素エンジンを公開した。また「カワサキモータース」はオートバイに搭載する水素エンジンを開発している。

エンジンには吸気・圧縮・燃焼・排気の4工程で1回動く4サイクルエンジンと、（吸気／圧縮）・（燃焼／排気／掃気）の2工程で1回動く2サイクルエンジンがある。

2サイクルエンジンは排ガス規制で衰退の一途を辿っているが、現在、4輪レースの最高峰、F1と2輪レースの最高峰、MotoGPで水素燃料の2ストロークエンジン復活が模索されているのだ。

ガソリン燃料のロータリーエンジンは、排ガス規制によって消えた。ところが水素はロータリーエンジンとも相性がいい。世界で唯一、ロータリーエンジンの量産化に成功したのはマツダである。

もちろん水素燃料は小型エンジンに留まらない。

2022年3月16日には川崎重工株式会社が水素を体積比30%までの割合で天然ガ

スと混焼して、安定した運用を実現できる燃焼技術の開発を発表。同社は水素混焼技術を搭載した大型ガスエンジンを2025年に実用化する予定だ。

火力発電への応用も期待されているが、この技術に関しても、日本はトップクラスである。

このように日本でしか生産できないものはまだまだある。

エネルギー問題さえ解決できれば、日本は中国に代わる生産大国に復活する。世界のエネルギー危機は実は日本にとってチャンスなのだ。

半導体規制は先端技術の国内回帰を呼び込む。また、中国を抜きにした、生活物資などのサプライチェーン再構築も日本にとっては追い風になるだろう。

失われた30年から脱出する前提条件が大きく改善されたのである。

ピンチはチャンスであり、日本はその恩恵を受けられるポジションにいることは間違いない。覇権国家アメリカが、米中の二者択一を迫る中で、日本からGDPを奪い続けた中国との関係を見直さなくてはいけない。

内外的に環境が整備されたとしても、重要なのは当事者である日本に生きる皆さんのマインドである。目下日本の大きな問題の一つは国際社会で崩壊したＥＳＧバブルのババを引かされる可能性が高い点だ。一刻も早くＳＤＧｓの幻想から目を覚ますべきである。

２０２３年はその転機になる年にしなければならない。

PROFILE

渡邉哲也

わたなべ・てつや

作家・経済評論家。1969年生まれ。日本大学法学部経営法学科卒業。貿易会社に勤務した後、独立。複数の企業運営などに携わる。大手掲示板での欧米経済、韓国経済などの評論が話題となり、2009年、『本当にヤバイ!欧州経済』（彩図社）を出版、欧州危機を警告し大反響を呼んだ。内外の経済・政治情勢のリサーチや分析に定評があり、さまざまな政策立案の支援から、雑誌の企画・監修まで幅広く活動を行っている。著書に『「韓国大破滅」入門』『情弱すら騙せなくなったメディアの沈没』『怪物（モンスター）化する中国は世界を壊して自滅する』『安倍晋三が目指した世界　日本人に託した未来』『経済封鎖される中国　アジアの盟主になる日本　米中戦時に突入』（以上、徳間書店）などのベストセラー・話題作の他、『世界と日本経済大予測2023-24』（PHP研究所）、『新しいビジネス教養「地経学」で読み解く!日本の経済安全保障』（宝島社）など多数。

◎渡邉哲也公式サイト
http://www.watanabetetsuya.info
◎Twitterアカウント @daitojimari
◎人気メルマガ「渡邉哲也の今世界で何が起きているのか」
https://foomii.com/00049

Book Design

HOLON

SDGsバブル崩壊

意識高い系がハマるリベラルビジネスの正体

第1刷　2023年6月30日

著者
渡邊哲也

発行者
小宮英行

発行所
株式会社徳間書店
〒141-8202 東京都品川区上大崎3-1-1 目黒セントラルスクエア
電話　編集(03)5403-4344 ／ 販売(049)293-5521
振替　00140-0-44392

印刷・製本
中央精版印刷株式会社

カバー印刷
近代美術株式会社

ISBN 978-4-19-865480-1

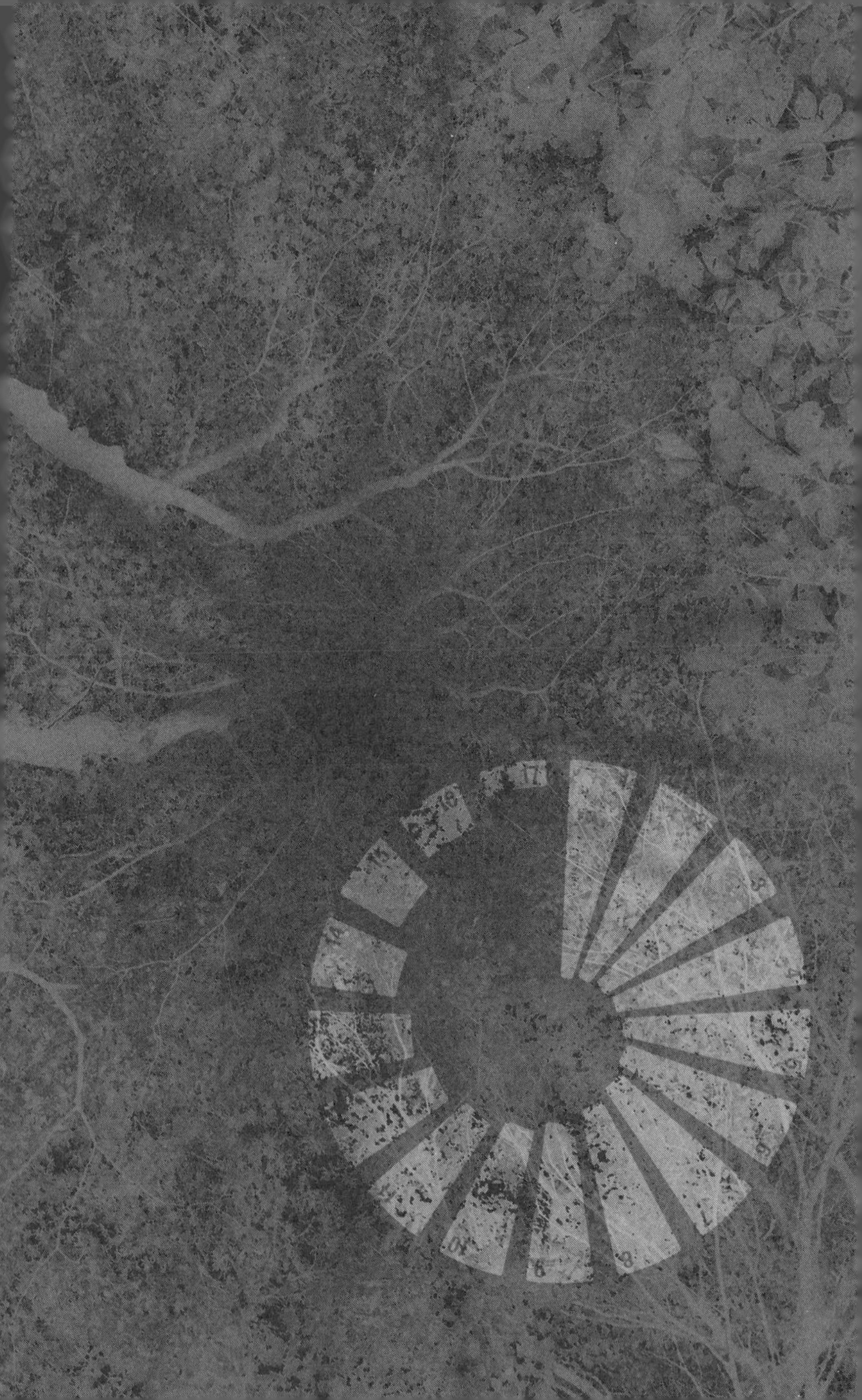